Roma, 12 giugno 2008

Giuseppe Ayala

CHI HA PAURA MUORE OGNI GIORNO

I miei anni con Falcone e Borsellino

MONDADORI

L'Editore ha ricercato con ogni mezzo i titolari dei diritti iconografici senza riuscire a reperirli: è ovviamente a piena disposizione per l'assolvimento di quanto occorra nei loro confronti.

«Chi ha paura muore ogni giorno»
di Giuseppe Ayala
Collezione Ingrandimenti

ISBN 978-88-04-58068-3

I edizione maggio 2008

Ingrandimenti

Indice

Chi ha paura muore ogni giorno

A chi lo dovevo

È bello morire per ciò in cui si crede;
chi ha paura muore ogni giorno,
chi non ha paura muore una volta sola.

PAOLO BORSELLINO

Lectori malevolo

Rientrato in magistratura dopo tanti anni di Parlamento, mi è capitato di dover redigere una sentenza di condanna per il furto aggravato di nove galline ovaiole e un gallo. Nel generale imbarazzo sono scoppiato a ridere. Ma non ero solo. Ho sentito Giovanni e Paolo farlo con me. A crepapelle. Ho la presunzione di sapere esattamente quello che mi avrebbero detto: «Finalmente fai quello per cui sei tagliato!», o qualcosa di simile. E poi, passando dal faceto al serio: «Se dal maxiprocesso sei finito tra i ladri di polli, il problema non è tuo, ma delle istituzioni, ancora oggi padrone infedeli dei loro migliori servitori. Noi ne sappiamo qualcosa. E comunque, futtitinni e pensa 'a salute!».

Qualcuno ha scritto che, dopo più di quindici anni da quel tremendo 1992, «forse Giuseppe Ayala ha scontato abbastanza la colpa d'essere rimasto vivo». Spero abbia ragione.

Mi è venuta così voglia di scrivere, per me innanzitutto ma anche per chi mi leggerà (i venticinque di manzoniana memoria?), la storia di una grande amicizia nata per caso e vissuta tra successi e drammi. Che si ostina a non morire e che continua a farmi piangere, ma anche ridere. Con loro due, ancora.

23 maggio - 19 luglio 1992

L'appuntamento era fissato per il primo pomeriggio di venerdì 22 maggio all'aeroporto di Ciampino. Falcone, come spesso accadeva, mi avrebbe dato un passaggio per Palermo sul volo di Stato.

In mattinata mi telefonò per avvertirmi di un cambiamento di programma. Francesca non si sarebbe liberata dal lavoro in tempo. Il decollo era spostato di ventiquattr'ore. «Giovanni, arrivare a Palermo sabato sera per ripartire lunedì mattina mi fa pensare che è meglio che io rimanga a Roma. Ti ringrazio, ci vediamo la settimana prossima.»

Alle 17.59 di quel sabato cinquecento chili di tritolo fecero scempio di cinque vite e della dignità di questo Paese. Avrei dovuto esserci. Il «nonnulla» che non aveva salvato Ninni Cassarà rimase al mio fianco. Gli debbo la vita.

Domenica 19 luglio, tornato dal mare, stavo riposando. Intorno alle sei del pomeriggio sentii un boato che mi fece saltare dal letto. Mi affacciai, ma non notai nulla di particolare. Dopo qualche minuto vidi un'enorme nube nera superare i dieci piani del palazzo di fronte a casa mia. Scesi in strada. La scorta mi seguì. Dopo duecento metri i nostri occhi furono costretti a una visione che a qualunque essere umano andrebbe risparmiata. E che non descrivo. Inciampai in un tronco di uomo bruciato. Era quello che restava di Paolo Borsellino. Fui il primo a vederlo in quello stato. Sarò l'ultimo a dimenticarlo.

I
La voglia di schierarmi

«Signor pretore, lei lavora troppo.» Fu questo il saluto che mi rivolse, con tono confidenziale ma rispettoso, il cancelliere della pretura di Mussomeli, dottor Catania, al mio rientro dalle ferie estive del 1979.

Conoscevo ormai da qualche anno l'uomo e ne apprezzavo la correttezza ma, soprattutto, per me giovane pretore, la consumata esperienza professionale. Specie all'inizio era stata preziosa e aveva contribuito, nel tempo, a consolidare tra noi un rapporto fatto non solo di stima reciproca, ma anche di simpatia. Capii così che non poteva trattarsi di una battuta. Lo invitai nel mio ufficio, chiusi la porta e gli chiesi di spiegarmi meglio. Che di un messaggio si trattasse, era sin troppo ovvio.

Il dottor Catania fu chiarissimo e, dati alla mano, mi spiegò: «Vede, signor giudice, ho controllato le pendenze sia civili che penali. Basse sono. Troppi provvedimenti lei deposita. Lo sa quale sarà il risultato? Lei non riceverà né complimenti né encomi, ma tutti e due saremo applicati: lei al tribunale di Caltanissetta e io alla pretura di Villalba, che è da tempo senza cancelliere. Così saremo premiati. Con un aumento di lavoro e con la seccatura di dover viaggiare». Sarebbe stato, perciò, davvero opportuno che le «pendenze» risalissero.

Risposi con un sorriso, al quale affidai la trasmissione del mio pensiero. Non mi sembrava affatto di lavorare troppo. Ma, al tempo stesso, mi rendevo conto di non potermi mostrare indifferente (e non lo ero) al fatto che sarei stato comunque io la causa dei disagi del povero dottor Catania, che proprio non li meritava.

Trovai un argomento. Ricordai al mio interlocutore che il Consiglio superiore della magistratura aveva svolto un capillare monitoraggio, ricavandone, per ciascun ufficio giudiziario, un indice numerico rappresentativo del rapporto tra mole di lavoro e risorse umane disponibili. L'indice uno fissava l'impiego ottimale della risorsa umana, e cioè del magistrato addetto a quel determinato ufficio. Di conseguenza, tutti gli indici superiori all'unità segnalavano un eccesso di carico di lavoro, quelli inferiori il contrario. Il dottor Catania sapeva bene che l'indice relativo alla nostra pretura cominciava con uno zero virgola. Non potevo, quindi, abbassare il ritmo di produttività. Sarei passato per uno scansafatiche.

Anche se sapevamo bene tutti e due che non sarebbe successo proprio nulla, la perorazione della futura vittima del lavoro altrui si infrangeva lo stesso contro il mio orgoglio, ancor più che contro il mio senso del dovere. Allargai le braccia e, con un nuovo sorriso, chiesi la sua comprensione. La ottenni.

Naturalmente Catania aveva ragione. Di lì a poco arrivarono, inesorabili, le temute applicazioni e i conseguenti disagi. Il cancelliere commentò i provvedimenti con un: «Che le avevo detto?». Al quale replicai: «E che potevo fare?». Ma lui continuò a volermi bene lo stesso. L'episodio mi fece riflettere sul reale funzionamento della macchina della giustizia in Italia. Ma, sul piano personale, mi lasciò del tutto indifferente, se non per i fastidi che avevo provocato al mio apprezzatissimo collaboratore.

Stavo muovendo i primi passi da magistrato, ma non ero un pivello, perché subito dopo la laurea avevo frequentato l'ambiente giudiziario come giovane avvocato, fino a quando una mia meditata rinuncia non aveva posto fine a quella carriera.

Superati gli esami di procuratore legale, ero stato accolto in uno degli studi penalistici più importanti di Palermo, quello del professor Girolamo Bellavista, ordinario di procedura penale in quella università e quindi mio ex docente. Nonché autentico principe del foro, dotato di un'oratoria magnetica, ma anche di una enciclopedica cultura giuridica e umanistica. Una grande personalità. Ero entrato presto nelle sue grazie: faceva in modo che venissi nominato anch'io dai suoi clienti per affiancarlo, specie nei casi che richiedevano un più assiduo impegno.

L'ultimo era stato un processo di mafia, con molti imputati chiamati a rispondere anche di diversi omicidi, che si era celebrato davanti alla Corte d'assise di Agrigento dall'ottobre 1973, appena qualche giorno dopo l'improvvisa morte di mio padre, alla primavera del 1974.

Avevo trascorso buona parte di quei mesi a seguire le udienze, trattenendomi spesso anche per la notte. La mia camera d'albergo si affacciava su un terrazzo distante, in linea d'aria, poche decine di metri dal tempio della Concordia. Mi soffermavo a contemplarlo ogni sera, prima di andare a dormire e dopo aver trascorso interi pomeriggi a colloquio con gli imputati in carcere. Il contrasto era violento. La mia terra mi offriva le vestigia di una grande civiltà nelle stesse giornate in cui per ore avevo vissuto in diretta la barbarie mafiosa. Sembrava fatto apposta per aiutarmi a risolvere definitivamente il disagio che mi provocava il contatto quotidiano con quei delinquenti, divenuto ormai insopportabile.

Avevo ventotto anni e una gran voglia di schierarmi. La parte giusta mi sembrò quella della Sicilia che combatteva la mafia, non l'altra, che la tollerava. Alle quattro di un mattino, in perfetta solitudine, decisi che il mio mestiere sarebbe stato un altro, quello del magistrato. Non persi tempo e vinsi il primo concorso utile.

Mi resi conto, poi, che una cosa è diventare giudice, altra, e ben diversa, è trasformarsi in un ingranaggio organico della macchina burocratica. Questo non era affar mio. Né volevo che lo diventasse.

Ne ebbi conferma qualche anno dopo quando, appena trasferito alla procura della Repubblica di Palermo, non tenni in alcun conto il suggerimento elargitomi da un anziano e spiritoso collega: «Peppì, ascoltami, non ti fare la fama di lavoratore, se no fottuto sei!». Aveva ragione. D'altronde lui era il tipo che, a un amico che lo aveva incontrato all'uscita del Palazzo e gli aveva chiesto: «Ma come mai te ne vai così presto?», aveva risposto: «Sai, stamattina sono arrivato tardi, tanto vale che me ne vada presto!». Ironia, certo, molta. Verità, pure.

Arrivai alla procura di Palermo nel settembre 1981. Assai prima di quanto avessi programmato.

Nella tarda primavera dell'anno precedente, avevo casualmente incontrato in via Libertà, durante una delle sue ahimè abituali passeggiate pomeridiane, Gaetano Costa, procuratore della Repubblica di Palermo. Subito dopo lo scambio dei saluti, mi aveva chiesto notizie sulla mia vita di pretore a Mussomeli, scherzando un po' per poi arrivare al punto: «Ma che ci fai ancora a Mussomeli? perché non presenti domanda per la procura di Palermo?». L'ipotesi era allettante, anche se Costa era notoriamente un duro, uno che chiedeva molto ai suoi sostituti.

Mi conosceva bene. Avevo frequentato la sua casa di Caltanissetta per quasi tutta la mia adolescenza, essendo compagno di scuola e molto amico di suo figlio Michele. Anch'io lo conoscevo bene. Dietro la sua ostentata severità si nascondeva un sincero affetto nei miei confronti, che si manifestò proprio con quell'invito. Lo ringraziai e gli promisi che ci avrei pensato.

Qualche giorno dopo lo chiamai al telefono e gli dissi: «Procuratore, io la domanda l'ho fatta. Mi raccomando, non me ne faccia mai pentire!». Mi rispose: «Ti dirò di più, io perorerò la tua causa e spero proprio che non debba essere io a dovermene pentire». L'immediato sopraggiungere di una risata beffarda mi consolò. L'infelice battuta mi era stata perdonata.

Non gli ho più parlato. Nel pomeriggio del 6 agosto 1980 un killer mafioso, in via Cavour, approfittò dell'incauta abitudine della passeggiata per assassinarlo a colpi di arma da fuoco.

Nel giorno dell'Epifania di quel funesto anno, identica sorte era toccata al presidente della regione, Piersanti Mattarella, ucciso sotto gli occhi della moglie che sedeva al suo fianco. Non posso dire che fossimo amici, ma era stata molto simpatica l'occasione in cui ci eravamo conosciuti, tanto che tutte le volte che capitava d'incontrarci si divertiva a raccontarla agli interlocutori di turno.

Piersanti era stato per anni assistente del professor Orlando Cascio, ordinario di diritto privato all'università di Palermo. Toccò, così, proprio a lui interrogarmi in quella materia. Alla fine dell'esame, Mattarella mi disse: «Un'ultima domanda: ma lei perché si fa raccomandare?». Rimasi allibito e farfugliai: «Guardi, professore, ci dev'essere un equivoco. Io sono uno che studia, non uno che si fa raccomandare».

Scoprimmo, poi, che lui la raccomandazione l'aveva ricevuta, ma che io non ne sapevo niente. Chiarì tutto l'autore del misfatto: un mio zio che era suo grande amico e che, senza informarmi, gli aveva segnalato il mio nome.

Per la cronaca, l'esame si concluse con un bel trenta, dopo una serie incessante di domande rivoltemi personalmente dal professor Orlando Cascio. I suoi assistenti più di ventisette non potevano dare. Mattarella, nel salutarmi, mi lanciò uno sguardo compiaciuto che raccolsi e restituii. A lui le raccomandazioni non piacevano. E a me nemmeno. Questo i nostri occhi si dissero. E in Sicilia, allora come oggi, quel dato era rivoluzionario.

Dopo gli assassinii del capitano dei carabinieri Giuseppe Russo, del capo della squadra mobile di Palermo Boris Giuliano, di Michele Reina, noto esponente della Dc, e del giudice Cesare Terranova, la sua uccisione confermò definitivamente la nuova sanguinaria strategia della mafia: contrapporsi allo Stato sul piano militare. Il che, purtroppo, comportava l'eliminazione fisica dei rappresentanti delle istituzioni che, con la loro azione, costituivano un ostacolo al proliferare degli interessi criminali. Mattarella era questo, non c'è dubbio. Ma anche molto di più.

Era un democristiano che, pur condannato in quanto tale al potere, guardava lontano, possedeva una visione politica moderna e alimentava una speranza anche in me, che non avevo mai votato per il suo partito. Era giovane e avrebbe avuto il tempo di provarci sul serio. Anche per questo fu ucciso.

La mafia interveniva con i suoi metodi nelle scelte politiche del partito di riferimento. Il segnale era tremendo, perché era rivolto ai non pochi che dentro la Dc volevano voltare pagina.

Ignoravo allora quello che mi aspettava, ma da cittadino prendevo coscienza. Al pari di tanti altri, mi sentivo toccato direttamente e mi dicevo: «Qualcosa deve succedere. Non è possibile. Questi sono impazziti. Lo Stato dovrà pur reagire». Non sapevo che sarei stato destinato a diventare un testimone, per un verso, e un esperto, per l'altro, delle ragioni per cui ancora oggi si discetta della forza della mafia.

L'uccisione di Gaetano Costa mi colpì ancora di più. E mi sentii davvero partecipe del dolore, dignitoso e severo, di sua moglie Rita e dei suoi figli, Michele e Valeria. In quell'occasione, alla rabbia per la più inaccettabile delle ingiustizie – quella di vedere un uomo ucciso soltanto per avere fatto il proprio dovere – si aggiungeva una forte componente privata, evocata da tutto ciò che legava quell'uomo alla mia vita di adolescente. La mia amicizia con Michele, la complice condiscendenza di donna Rita per le nostre piccole trasgressioni, la tenerezza di Valeria e, poi, la sollecitazione ad andare a lavorare con lui che, venendo da un uomo privo di smancerie come nessun altro, equivaleva al più prestigioso dei riconoscimenti. Condizionato dall'affetto, ma proprio per questo ancora più prezioso.

Uno degli effetti di quello stato d'animo fu che non pensai più alla famosa domanda di trasferimento. Sino al 1° aprile 1981. Quel giorno, all'ora di pranzo, squillò il telefono di casa. Risposi e dall'altro capo del filo Giacomo Caliendo, al tempo consigliere superiore della magistratura, mi comunicò che la mia domanda era stata accolta.

Allora non lo conoscevo personalmente e mi sfiorò il dubbio che la coincidenza della bella notizia con la data del «pesce d'aprile» potesse non essere casuale.

Caliendo, forse, percepì da parte mia una reazione più fredda del previsto. Mi precisò, comunque, che il trasferimento era stato disposto d'ufficio. Avevano, non a caso, deliberato un aumento di organico di due posti alla procura. Il che mi aveva protetto dal ferreo criterio dell'anzianità che non giocava certo a mio favore. Mi resi conto che il 1° aprile non c'entrava niente e chiesi chi era l'altro magistrato che aveva beneficiato del provvido escamotage. Non c'era ancora. Il Consiglio si era occupato soltanto di me, rinviando il resto alla settimana successiva. Come non pensare che Costa aveva davvero perorato la mia causa? Un successo alla memoria.

Lo ringraziai per le felicitazioni e, soprattutto, per la cortesia di avermi avvertito con tanta tempestività. Pensai subito ad Alfredo Morvillo, mio collega di concorso e pretore a Corleone. Lo chiamai al telefono e gli comunicai la novità. Ma lui, purtroppo, la domanda per la procura non l'aveva ancora fatta. Stabilimmo di vederci l'indomani mattina nell'ufficio di Rocco Chinnici per decidere sul da farsi.

Rocco era per noi una specie di nume tutelare, un generoso dispensatore di sagge indicazioni. Durante il periodo dell'uditorato, senza dirci nulla, aveva fatto in modo che fossimo affidati alle sue cure, per seguirci passo passo e insegnarci i «fondamentali» del mestiere. Era il nostro punto di riferimento e, anche in quel caso, non si smentì. Riconobbe che per Alfredo l'opportunità era proprio da non perdere. Mancava la domanda? Nessun problema. «La fai stamattina stessa per telegramma» sentenziò. «Per telegramma?» obiettammo. Ci guardò, non nascondendo che, in effetti, la cosa appariva abbastanza irrituale, ma aggiunse: «Non è previsto, ma non è certamente vietato. Perciò si può fare». Compilammo assieme il breve messaggio che fu immediatamente spedito.

Alfredo fu trasferito pochi giorni dopo. Chinnici ci disse poi di aver accompagnato la domanda, per maggiore sicurezza, con un paio di telefonate al Csm, di quelle che lui sapeva fare quando decideva di sfoderare la sua bonaria, ma indiscussa, autorevolezza.

Nel commentare la vicenda, mi parve corretto sottolineare l'apprezzabile comportamento di Giacomo Caliendo: non mi conosceva, eppure aveva avuto la sensibilità di mettermi a parte del trasferimento con sorprendente premura. Mentre Alfredo annuiva, Rocco si fece una risatina e disse: «Senza nulla togliere all'innegabile cortesia del collega Caliendo, vi informo che questo è uno dei metodi più sperimentati per fare proselitismo a favore delle correnti che animano la vita della nostra associazione. Dare la buona notizia per primi serve a catturare un consenso. Tutti i membri del Csm trascorrono buona parte del loro tempo a fare telefonate analoghe a quella che hai ricevuto. Ciò non toglie che è stata utile e che l'abbiamo sfruttata. Alle prossime elezioni la corrente avrà guadagnato due voti».

Il mio non lo ottenne. Mi ero subito reso conto che anche di questa macchina non sarei mai diventato un ingranaggio. Se non mi stava bene quella ottusamente burocratica, figurarsi quella dichiaratamente clientelare.

Scoppiava, intanto, la cosiddetta «guerra di mafia».

Nella piovosa notte del 23 aprile 1981, il kalashnikov Ak-47 esordì con successo sullo scenario di sangue di una Palermo che sarebbe stata quasi ricoperta, nel giro di alcuni mesi, dalle centinaia di cadaveri che l'assurdo conflitto avrebbe preteso. Nel giorno del suo compleanno, mentre a bordo dell'auto stava facendo ritorno a casa, Stefano Bontade, il «principe di Villagrazia», venne crivellato dai colpi esplosi proprio da quell'arma. Anche in questo la mafia si evolveva: dalla lupara al kalashnikov. Il «salto di qualità» era segnalato anche dagli strumenti di morte adoperati.

Bontade era un capomafia di grande prestigio, giunto rapidamente ai vertici dell'organizzazione anche perché erede del mitico don Paolino «Bontà», uno degli ultimi grandi mafiosi «all'antica», come allora si soleva dire. Ed era anche molto ricco e potente, grazie al traffico internazionale di stupefacenti cui aveva da tempo dedicato le sue migliori energie. La «guerra» era dichiarata e cominciava dal vertice.

Il suo amico e sodale «Totuccio» Inzerillo lo capì e, come prima mossa, decise di premunirsi acquistando un'Alfetta blindata. Inutilmente. La mattina dell'11 maggio, un gruppo di fuoco lo aspettò mentre si intratteneva in un appartamento con l'amante e lo raggiunse prima che potesse salire sul-l'auto. Anche in quell'occasione il kalashnikov non perdonò.

Le uccisioni di mafiosi erano sempre più all'ordine del giorno. Per non parlare delle cosiddette «lupare bianche», i morti senza ritrovamento del cadavere.

Nel mese di giugno la fece franca «Totuccio» Contorno, che seppe rispondere da par suo al killer incaricato di farlo fuori: il più rinomato sulla piazza, Giuseppe Greco, detto *scarpazzedda*, destinato a sua volta a conoscere qualche anno dopo gli effetti definitivi dell'Ak-47 così in voga. Un insuccesso che costerà molto caro alla mafia. Contorno, infatti, sceglierà in seguito di collaborare con la giustizia, assestando così all'organizzazione più colpi di quelli che avrebbe potuto infliggerle con le armi.

Era questa la Palermo del 1981. Una città trascinata in una spirale di violenza, di sangue e di terrore, della quale avvertivo, come molti altri, tutta la paradossale assurdità. Non eravamo di fronte a un sovvertimento politico, a una sollevazione delle masse, a una rivoluzione. No. Era la mafia che scendeva in guerra, per regolare i suoi equilibri interni e per indebolire l'azione dello Stato. E, come in tutte le guerre, era la morte che la faceva da padrona ma, al tempo stesso, da riflettore. Perché illuminava e rendeva visibile una drammatica realtà che i siciliani, me compreso, erano quasi d'istinto portati a marginalizzare in un ambito puramente delinquenziale. Senza nessuna voglia di capire che di ben altro si trattava.

Era questa la «colpevole indifferenza» che Paolo Borsellino rimprovererà anche a se stesso, quantomeno fino alla soglia dei quarant'anni. La nostra generazione, in particolare, era ancora legata alla tradizione per cui la stessa parola «mafia» veniva pronunciata con cautela, perché evocatrice di una realtà misteriosa, ma anche terribile e, per certi versi, vergognosa.

Ha raccontato Andrea Camilleri che quelle cinque lettere venivano pronunciate solo dopo che gli usci di casa erano stati chiusi, perché gli estranei non le sentissero. Nessuno voleva ammettere ciò che vi si celava dietro. Lo stesso accadeva a proposito di un'altra parola di sei lettere: «cancro». «Il male incurabile» era l'eufemismo. Suonava meglio.

Quanti siciliani della mia età possono confermare questa realtà? Gli intellettualmente onesti, tutti. In fondo anche quella era omertà. Non certamente complice. Ma se è vero che non bisogna aver paura delle parole, lo era. Mi piace pensare che si trattasse di una sorta di omertà da rimozione o da amore per il cosiddetto quieto vivere. Chissà!

La mafia, da parte sua, rifuggiva ogni forma di clamore, evitava con cura di mostrarsi, agiva nell'ombra, garantendo copertura a tutti gli esponenti della politica, della burocrazia e degli affari, con i quali se la intendeva alla grande.

La Palermo del 1981 cambiò il quadro. La successione degli omicidi, quelli eccellenti soprattutto, fu, a ben vedere, il primo vero colpo che la mafia inferse alla sua più grande alleata: l'omertà, appunto. Un passaggio decisivo. Diventò difficile, se non impossibile, non parlarne, non leggere i giornali, non guardare la televisione. I media, volenti o nolenti, dovettero dedicarle titoli in prima pagina.

Era questa l'atmosfera che si respirava a Palermo quando, nel settembre di quell'anno, Alfredo Morvillo e io prendemmo possesso dei nostri uffici al Palazzo di giustizia.

Un Palazzo che aveva avuto un ruolo centrale nella storia del potere siciliano, distinguendosi più per la sua capacità di omologazione che per quella di contrapposizione alle connotazioni illegali, se non criminali, che pezzi di quel potere erano andati progressivamente assumendo.

La sintesi la ricavo da un brano del buon libro di Peppino Di Lello, *Giudici*: «I giudici palermitani non erano, né sono peggiori o migliori di quelli di altre città, figli della loro società dominata da una borghesia identica nella sostanza alle altre, con la sola specificità di essere mafiosa» (direi meglio «anche mafiosa»). Si spiega così «la scelta conservatrice della stragrande maggioranza dei giudici palermitani, mascherata da apoliticità».

Non evoco né complicità né contiguità, che pure ci sono state, ma che non si possono generalizzare. Spiega molto la «colpevole indifferenza», denunciata da Borsellino. Ma non chiarisce tutto.

Raccontò Rocco Chinnici che, durante l'istruttoria del cosiddetto «processo Spatola», l'allora procuratore generale Giovanni Pizzillo lo convocò per redarguirlo severamente: «Ma che credete di fare all'ufficio istruzione? La devi smettere di fare indagini nelle banche, perché così rovini l'economia siciliana. A quel Falcone caricalo di processi, così farà quello che deve fare un giudice istruttore. Niente. Hai capito, Chinnici?». Ordinaria amministrazione e basta, questo era il diktat.

Qui il «colpevole» c'è tutto. L'indifferenza pure. Solo quella di Rocco, però, che se ne fregò e continuò per la sua strada. Breve, purtroppo.

Eppure nel Palazzo qualcosa stava cambiando. Quel processo era destinato a segnare l'inizio di una nuova stagione.

II
Bisogna non essere soli

Il processo Spatola nasceva da un rapporto di polizia giudiziaria, presentato al procuratore della Repubblica Gaetano Costa, nel quale erano confluiti almeno tre distinti filoni d'indagine. Era subito diventato delicatissimo in quanto, malgrado il diverso avviso dei sostituti assegnatari del fascicolo, Costa si era esposto personalmente. Aveva firmato alcuni ordini di cattura nei confronti di personaggi di spicco dell'organizzazione mafiosa menzionati proprio in quel rapporto, che riguardava – soprattutto ma non soltanto – il business legato al traffico di stupefacenti tra Sicilia e Stati Uniti.

La solitudine in cui fu lasciato il procuratore Costa alimentò polemiche mai sopite. Le richiamo proprio per sottolineare la peculiarità della vicenda che, a prescindere dai contenuti investigativi, calamitò subito l'attenzione del Palazzo.

Il processo giunse, come prevedeva il nostro vecchio codice di procedura penale, sul tavolo di Rocco Chinnici, capo dell'ufficio istruzione, il quale decise di assegnarlo all'ultimo arrivato: il giudice istruttore Giovanni Falcone.

Era l'epoca del processo cosiddetto inquisitorio, assai diverso dall'attuale, che si fonda sul modello accusatorio. Nel codice oggi in vigore la fase istruttoria non esiste più. La prova si forma direttamente davanti al giudice, nel contraddittorio tra le parti; il pubblico ministero porta le prove a sostegno dell'accusa, la difesa le contrasta fornendo le proprie e il giudice decide secondo il suo convincimento. Allora, invece, ferma l'iniziativa originaria del pm, le prove erano messe insieme dal giudice istruttore il quale, alla fine del suo lavoro, se riteneva di averne raccolte a sufficienza, disponeva che si celebrasse il processo vero e proprio, al quale però non era prevista la sua partecipazione. La palla tornava al pubblico ministero che, sulla scorta dei risultati raggiunti dal giudice istruttore, sosteneva l'accusa di fronte ai magistrati del dibattimento.

Questo meccanismo comportava che il vero oggetto del processo si risolvesse, tutto sommato, nella verifica della bontà della precedente attività istruttoria. Davanti ai giudicanti era il pm d'udienza a difenderla, assumendo così, di fatto, il ruolo di «voce» del giudice istruttore.

Falcone si era trasferito a Palermo nel luglio 1978 ed era stato assegnato alla sezione fallimentare del tribunale. All'indomani dell'uccisione di Cesare Terranova, avvenuta il 25 settembre 1979, aveva chiesto di passare all'ufficio istruzione ed era stato accontentato. Malgrado il poco tempo trascorso, Chinnici, che aveva ben capito di che stoffa era fatto, lo convocò nel suo ufficio e, senza fronzoli né preamboli, gli comunicò: «È arrivato il processo Spatola. Sarai tu a istruirlo». Punto.

Nessuno lo sapeva, neanche l'interessato, ma stava nascendo il cosiddetto «metodo Falcone», cioè un inedito impianto dell'istruzione dei processi di mafia, che si avvaleva degli ordinari strumenti forniti dal codice, adattandoli però a una nuova visione del fenomeno. Questa visione Giovanni la ricavò proprio dalla intelligente lettura di quegli atti. Come chiarì lui stesso, qualche anno dopo: «La mafia, vista attraverso il processo Spatola, mi apparve come un mondo enorme, smisurato, inesplorato ... Alla prima impressione sembrava che tutto fosse scollegato, si trattava quindi di riunificare tanti tasselli ... nelle carte del processo Spatola era racchiusa una grande realtà da decifrare. Per venirne a capo, adoperai strumenti che già esistevano, ma che pochi avevano sufficientemente utilizzato. Un esempio: ma bastava indagare a Palermo, in Sicilia, in Italia? Se la polizia sequestra qui un carico di stupefacenti destinato agli Usa – mi chiesi – perché non andare in Usa a studiare gli effetti collaterali di quella operazione riuscita? Perché altri non avevano preso un'analoga iniziativa? Alcuni per istinto di conservazione, per quieto vivere. Altri per inadeguatezza culturale».

Visto che per la mafia Palermo era la base operativa di traffici che scavalcavano anche gli oceani, lo stesso era necessario fare per le indagini che riguardavano quei traffici. Niente più confini, se non quelli determinati dalla localizzazione della droga e dei capitali a essa connessi. A proposito dei quali Falcone soleva ripetere: «La nostra filosofia di giudici palermitani dev'essere questa: se l'eroina finisce negli Usa, ed è ampiamente confermato che questo accade, e se l'eroina viene pagata in dollari, a noi non resta che cercare dove finiscano quei dollari».

Sintetizzai, anni dopo, questa formidabile idea in una semplice constatazione: «La droga può anche non lasciare tracce, il danaro le lascia sicuramente». Detto fatto. Gli accertamenti bancari divennero il fulcro della nuova frontiera istruttoria.

I direttori delle banche di Palermo e provincia ricevettero una lettera a firma Giovanni Falcone, con la quale si chiedeva l'invio di tutte le distinte di cambio di valuta estera, relative alle corrispondenti operazioni bancarie, a partire da un certo momento e sino alla data indicata. Una rivoluzione.

È facile immaginare le febbrili consultazioni cui vennero sottoposti gli uffici legali di quelle banche. Ma non c'era niente da fare: il segreto bancario non era opponibile al giudice penale.

Si riversò nell'ufficio di Giovanni un numero impressionante di scatoloni con la documentazione richiesta. L'esame certosino di quel materiale gli consentì di ricostruire una fitta tela di rapporti, che veniva a mano a mano contestata agli imputati, cominciando da una semplice domanda: «Lei ha negoziato questo assegno con Tizio per tale cifra in tale data. Vuole dirmi il motivo dell'operazione?». Le risposte oscillavano tra il reticente e il ridicolo. Il risultato fu che il numero degli imputati aumentò di molte unità e che tutti furono raggiunti da prove tali da non poter evitare pesanti condanne, poi confermate nei successivi gradi di giudizio, Cassazione compresa.

Visione unitaria e indagini a tutto campo. E tanto, ma tanto lavoro. Il «metodo Falcone» era nato ed era subito risultato vincente. Era il 1980: Costa per un verso, Chinnici per l'altro e Falcone, soprattutto, avevano messo in piedi un bel problema. Per la mafia, sicuramente. Ma non solo.

I giudici di Palermo, a loro volta, avevano dato prova di grande capacità professionale e serietà. Se messi di fronte a processi ben istruiti ne traevano conseguenze corrette.

Le tante assoluzioni per insufficienza di prove del passato non dipendevano né dalla pavidità né dalle sudditanze, più o meno collusive, di quei giudici. Ma, più banalmente, nella maggioranza dei casi, dalla inadeguatezza delle prove sottoposte al loro vaglio. Falcone li aveva messi in condizione di mostrare il loro vero volto. Ed era venuto fuori un volto rassicurante. La cui affidabilità costituisce un caposaldo irrinunciabile, perché il momento della verità non era certo quello dell'istruttoria, per quanto impostata al meglio, ma era e rimane quello del dibattimento. È lì che si gioca la partita.

Giovanni, «neanche aveva cominciato che già aveva combinato un casino», come scherzosamente gli dissi in occasione del nostro primo colloquio. Arriviamoci subito, è già troppo che lo rimando.

Alfredo Morvillo mi aveva confidato che sua sorella si era separata dal marito e stava con Giovanni Falcone, anche lui separato da tempo. I due, anzi, si apprestavano a mettere su casa.

Pochi giorni dopo, Alfredo mi offrì un caffè, come d'abitudine, al bar del Palazzo di giustizia. Era un modo di interrompere la noia di quelle prime giornate in procura. Essendo arrivati in aumento di organico, non avevamo ereditato il lavoro di chi ci aveva preceduto, come di norma. Partivamo da zero e ci vollero un bel po' di giorni prima che le nostre scrivanie cominciassero a ospitare fascicoli di un qualche impegno. Le visite al bar si susseguivano. Caffè per aprire e Campari soda per chiudere la giornata.

Quella mattina ci imbattemmo in Falcone per caso. Presentazione di rito e primo scambio di battute. Tono rilassato e scherzoso. Non ricordo assolutamente nulla di ciò che ci dicemmo, a parte l'accenno al «casino» che aveva combinato. Eppure, a partire da quel giorno, la mia vita sarebbe stata un'altra. Ma chi poteva immaginarlo?

Una o due sere dopo, Alfredo mi invitò a cena a casa sua. Ospiti, oltre me e mia moglie, Falcone e Francesca, che ancora non conoscevo. Durante la cena chiacchierammo del più e del meno, apprezzando l'ottimo cibo preparato da Anna, la padrona di casa. Dopo mangiato ci trasferimmo in salotto, le donne con i loro argomenti da un lato e gli uomini, con i propri, dall'altro. Un classico. Giovanni e io cominciammo a sfottere Alfredo a proposito della sua notoria passione per gli involtini del ristorante Don Ciccio di Bagheria. Lui, a sua volta, sfotté noi, ma di argomenti seri nemmeno l'ombra. Nessuno ne aveva voglia. E andava bene così.

Solo sul finire della serata realizzai che avevo di fronte a me il giudice di cui più si parlava a Palermo. Lo avevo trovato al primo impatto di una semplicità e di una genuinità disarmanti. Supponenza zero. Simpatia mille. Ironia di più, ma assolutamente demenziale.

Gli dissi che mi avrebbe fatto piacere capire meglio l'indagine che lo aveva proiettato all'attenzione del mondo giudiziario e non solo. Lui annuì, si fece serio e mi invitò ad andarlo a trovare l'indomani in ufficio. Me ne avrebbe parlato con piacere. Uscimmo assieme e notai che aveva la scorta. Era la prima volta che ne vedevo una da vicino. Non sarebbe stata l'ultima.

Il mattino successivo sbrigai le poche pratiche che mi erano state assegnate. Guardai l'orologio, era ancora presto. L'appuntamento era per la tarda mattinata. A mezzogiorno decisi che era venuto il momento di scendere al piano ammezzato, quello dell'ufficio istruzione. La procura era al secondo piano: ai «piani alti», come li definivano i giudici istruttori quando avevano voglia di prenderci in giro. E cioè un giorno sì e l'altro pure.

Per raggiungere Falcone passai davanti alla porta della stanza che per anni era stata di Cesare Terranova. Mi tornarono in mente le tante conversazioni avute con lui. L'ultima, in particolare, avvenuta in casa di amici comuni dove avevo accompagnato mia madre. «Che fa questo giovane di belle speranze? Ancora a Mussomeli sei?». Pure lui. Abbozzai, facendo spallucce: «Prima o dopo la lascerò e verrò a Palermo. Ancora è presto. L'anzianità non può essere accelerata».

Chiuse l'argomento con una battuta che mi sarà ripetuta da altri più volte: «Certo, se il criterio anziché al tempo fosse legato all'altezza, tu saresti già in Cassazione. Nessuno può negare che sei un "alto" magistrato, costretto a fare il pretore. Bah! Anomalie del sistema».

Mi salutò con un buffetto e andò a sedersi al suo tavolo di bridge, gioco del quale era un maestro riconosciuto. Era un uomo imponente, spesso sorridente e cordiale. Un gran signore, ma anche uno tosto. Come magistrato era stato tra i primi a istruire processi di mafia con impegno e dedizione. E aveva dovuto incassare le sue delusioni: non tutti avevano superato positivamente l'esame del dibattimento. Luciano Liggio ne sapeva qualcosa.

Cesare era stato anche deputato per due legislature, eletto come indipendente nelle liste del Pci. Era stato membro della Commissione antimafia ed era da poco rientrato in magistratura, in Corte d'appello. Aveva presentato domanda per guidare l'ufficio istruzione. Ma la mafia decise che era necessario fermarlo prima e lo fece fuori. Ho ancora negli occhi la fotografia che lo ritrae inerme, seduto nell'auto di servizio, con i segni devastanti lasciati dall'arma del killer sul suo corpo. Morì con lui anche il fedele maresciallo Lenin Mancuso.

Con questo stato d'animo entrai nella stanza di Falcone. Era solo, con la sigaretta accesa come al solito e con una montagna di carte ben ordinate sulla scrivania. Mi fece segno di sedermi e continuò a scrivere per pochi minuti. Quando lo vidi riporre la penna stilografica, mi venne istintivo renderlo partecipe del ricordo di Cesare Terranova. Me ne parlò anche lui benissimo, sottolineando che era stato il primo ad affrontare con coraggio e determinazione le difficili istruttorie sugli imputati mafiosi. Ancora di più, secondo lui, era da apprezzare perché lo aveva fatto «quando non si usava».

Il suo era stato una sorta di omicidio preventivo. Il movente era chiaro. La mafia, oltre a eliminare quello che ai suoi occhi era un temibile avversario, aveva inviato al tempo stesso un preciso segnale intimidatorio a chi avesse avuto voglia di emularlo. «Non vi fottete la testa, se no fate la stessa fine! Chi vuole intendere, intenda. E chi non vuole, sono affari suoi.» Testuale. «Elementare, non ti pare?» «Sarà,» risposi «ma mi darai atto che, detto da te in questo momento, mi fa una certa impressione. O non me ne deve fare?»

Riconobbe che la mia reazione era legittima, ma occorreva ragionare. «Prima di tutto bisogna non essere soli, come a loro appariva Cesare Terranova. E, almeno per ora, oltre a me c'è Rocco e c'è Paolo Borsellino, che sta istruendo il processo per l'omicidio del capitano Basile e, se il lavoro che ho in mente darà i suoi frutti, vedrai che ce ne saranno altri. Questo non vuol dire che saremo al sicuro. Ma meglio di essere soli sarà.» «Certo,» mi sembrò ovvio aggiungere «non è che possono ammazzare tutti!» «Se vogliono, sono anche capaci di farlo. Ma ci devono pensare un po' di più» concluse.

Mi resi conto che aveva già in testa un progetto. Era tanto lucido quanto pacato. E fermissimo. Il pensiero della morte era presente ma, come dire, rientrava nel calcolo. Mi spiegò tecnicamente come aveva impostato la nota istruttoria, di quali strumenti si era avvalso e come lo aveva fatto. E soprattutto il principale risultato al quale era approdato.

«Non è possibile che due giudici, magari con le stanze accanto, stanno indagando sullo stesso fenomeno e uno non sa quello che sta facendo l'altro. È sempre stato così. Ma così non si va da nessuna parte. Visione unitaria e indagini mirate sì, per evitare dispersioni, ma a tutto campo. Questo ho capito. E questo bisogna fare. Rocco, che è il capo, è d'accordo. D'altra parte, rifletti, se la criminalità che abbiamo il dovere di contrastare è organizzata, non ti pare che la prima cosa che dobbiamo fare è quella di organizzarci anche noi? Se no la partita è perduta. Come lo è stata sino a oggi. Vincerla? Si vedrà. Ma almeno rendiamola giocabile.»

Ero impressionato, ma avevo capito. E feci subito un figurone: «Senti Giovanni, da quello che mi hai spiegato, visione unitaria significa che se qualcuno mi mostra un pezzetto di ceramica azzurra e mi chiede cos'è, io non posso che rispondere: "È un pezzetto di ceramica azzurra". Ma se quello stesso oggetto viene inserito nel mosaico di cui fa parte, la mia risposta sarà un'altra. Che ne so, per esempio, è l'occhio della figura rappresentata dal mosaico. Non è così?». «Complimenti, Ayala, hai capito tutto.»

Ci salutammo con reciproca soddisfazione per un incontro che era piaciuto a tutti e due. Mi accompagnò alla porta e rimanemmo d'accordo che ci saremmo visti al più presto. L'inizio della mia avventura si avvicinava.

Continuava, intanto, il mio lavoro di assoluta routine. Andavo in udienza, come tutti i sostituti, quattro, cinque volte al mese. Studiavo con puntiglio i processi e riuscivo a fronteggiare spesso con successo le tesi della difesa. Intrattenevo ottimi rapporti con gli avvocati. Il loro livello medio era più che buono, con qualche punta di assoluto rilievo. Gli scontri dialettici non mancavano. A fine udienza, però, arrivava puntuale la stretta di mano. E finiva lì.

Un giorno un vecchio avvocato, che sapevo essere un'autentica volpe ma anche un vero galantuomo, mi chiese un colloquio riservato. Lo feci accomodare nella mia stanza e accesi la lucina rossa che illuminava la scritta «occupato». Nessuno ci avrebbe disturbato. Esordì lamentandosi che il suo ambiente non era più quello di prima. Non c'era più la «scuola» dei vecchi avvocati. I giovani, spinti dalla fretta di guadagnare, abbandonavano presto i loro maestri, aprivano uno studio e si improvvisavano liberi professionisti. Ma quello che gli premeva dirmi era che tra questi si annidava un mascalzone, il quale «quando difende un arrestato, viene a parlare con lei o con un suo collega, sempre accompagnato da qualche familiare di costui. E sino a qui, niente di strano. I familiari rimangono ad attendere in corridoio, lui entra nella stanza del magistrato e, quando esce, tranquillizza i suoi accompagnatori, dicendo che la libertà si può ottenere anche presto, ma ci vogliono dieci milioni in contanti, lasciando intendere che non sono certo per lui. Non mi chieda come l'ho saputo. Si fidi di me. Sono sconcertato. Lei sa quanto la stimo. Mi è sembrato doveroso metterla in guardia e, anzi, la prego di informarne i suoi colleghi. L'autorizzo espressamente a fare il mio nome. È una vergogna».

Diedi seguito all'invito e, per parte mia, quando quel legale veniva a parlarmi, lo pregavo cortesemente di lasciare la porta aperta e, se la mia segretaria non era nella stanza, facevo in modo che il colloquio non iniziasse prima del suo ritorno. Quando raccontai tutto al mio informatore, il suo commento, in siciliano, fu: «Bravo dutturi Ayala, accussì u futtemmu».

Seppi, anni dopo, che il lazzarone era finito in galera per gravi scorrettezze professionali. L'episodio è sintomatico e conferma l'atmosfera di rispetto reciproco che tradizionalmente regnava a Palazzo di giustizia tra giudici e avvocati, ma che agli occhi di un vecchio galantuomo cominciava a inquinarsi. Non era proprio un bel segnale. Lo raccolsi con sincera amarezza, ben conoscendo il foro palermitano, del quale avevo fatto parte sino alla galeotta nottata agrigentina.

Alfredo Morvillo aveva preso l'abitudine di passare da me intorno alle undici per dirmi: «Che dici, anziché andare al bar, ce lo facciamo un pane e panelle?» (le famose frittelle di farina di ceci, altra sua grande debolezza). Scendevamo al vicino mercato, dove il suo «panellaro» di fiducia preparava due panini da manuale. Al ritorno in ufficio passavamo dalla stanza di Giovanni, per salutarlo e scherzare sul fatto che, lavorando tanto, doveva rinunziare a quel piacere.

«Ti piace lavorare? Niente pane e panelle!» e ce ne andavamo. Superfluo dire che quelle scappatelle non durarono a lungo. Il lavoro aumentò e addio «panellaro». Giovanni, che andavamo a trovare quasi sempre a fine mattinata, capì. «Notizie del pane e panelle?» «Nessuna notizia» rispondevamo. «Oh, finalmente vi siete messi a lavorare anche voi, così la finite di rompere. Si mangia la sera. A proposito, stasera che facciamo?» La cenetta era di lì a poco organizzata.

Alfredo è un gourmet cui non difetta certo il dono della simpatia. La sua è, perciò, una compagnia allegra e piacevole. Anche per questo legammo molto. Lo stimo non solo come uomo, ma anche come magistrato. Possiede un grande equilibrio e una solida preparazione giuridica. È uno che ha studiato sul serio. Sua sorella Francesca forse lo superava. Parliamo, comunque, di livelli elevati.

Non ho mai conosciuto il padre, Guido, sostituto procuratore a Palermo. Morì prematuramente per un'operazione sbagliata, lasciandoli quando erano ancora giovanissimi. Tutti i suoi colleghi ne hanno sempre parlato con grande nostalgia, ricordandone la giovialità, ma anche la tempra di magistrato completo. Da quello che ho capito, Alfredo gli somiglia molto.

La «guerra di mafia» non conosceva soste. I morti ammazzati si contavano a decine. Ciascuno di noi sostituti aveva almeno un «turno» al mese di ventiquattr'ore. Per gli organi di polizia in quel lasso di tempo eri il riferimento per qualunque evenienza, dal suicidio all'arresto in flagranza, all'omicidio.

Non c'era turno senza almeno un delitto di mafia. L'indomani, in ufficio, la domanda dei colleghi era: «Quanti?». Si favoleggiava del record di uno di noi che, in un solo giorno, si era dovuto occupare di ben sei esecuzioni, tutte di matrice mafiosa. Roba da guinness. Il risultato fu che nessuno voleva, come invece si usava, scambiare con lui il «turno»; «troppu attassato», troppo sfortunato, era il commento.

L'omicidio comportava innanzitutto l'accesso al luogo per i rilievi del caso e per la rimozione del cadavere, che solo il magistrato poteva disporre. L'indomani l'autopsia e, quindi, l'attesa del rapporto di polizia giudiziaria. Non c'era molto altro di cui occuparsi. I testi oculari, quando si riusciva a identificarli, li sentiva la polizia, ma era del tutto inutile, tanto non avevano visto niente. Non valeva nemmeno la pena interrogarli.

Una volta non potei farne a meno. Fu a proposito dell'uccisione, in quel di Bagheria, di un ex senatore in odore di mafia. I killer lo affiancarono mentre era alla guida della sua automobile in una strada del centro del paese. Raggiunto dai colpi mortali, perse il controllo dell'auto, che arrestò la sua marcia solo dopo essere letteralmente entrata in una macelleria.

Vero o non vero che fosse, e secondo me non lo era, alla polizia risultò che era presente al fatto soltanto il garzone. Interrogato, aveva avuto la spudoratezza di dichiarare: «Nenti vitti». «Ma com'è possibile?» dissi all'ufficiale di polizia giudiziaria che era venuto a presentarmi il rapporto. «Signor giudice, non lo sa lei come vanno queste cose?»

Aveva ragione, ma gli ordinai lo stesso di portarmelo al più presto, perché l'avrei interrogato io. Mi confermò il suo «nenti vitti». Allora posi il teste davanti a un aut aut: «A tia ti serve o 'na visita oculistica o tanticchia di galera!». Scelsi quest'ultima: lo mandai a riflettere all'Ucciardone. Rimase in carcere quanto ci doveva rimanere, ma non aprì bocca. Non era facile il nostro lavoro.

Leggevo con attenzione i rapporti di polizia sugli omicidi di mafia e notavo che erano sempre più puntuali, non solo riguardo alla storia personale della vittima ma, ancor di più, rispetto alle dinamiche interne dell'organizzazione che stavano alla base della «guerra» in atto.

Era evidente che la polizia e i carabinieri cominciavano a capire ciò che stava succedendo. Era un sintomo importante. Avvertii netta la sensazione che qualcosa si stesse muovendo.

Mi occupavo di mafia solo di rado, quando durante il mio turno capitava l'omicidio di un mafioso, ma ormai avevo anch'io la mia collezione. La riflessione che facevo era semplice: un solo dato è certo, i morti sono tutti «uomini d'onore». Chi li ammazza sono altri mafiosi, ma perché ne ammazzano tanti, uno dietro l'altro? Che sta succedendo dentro la mafia? Si fanno la guerra, d'accordo, ma perché se la fanno? Fu così che mi resi conto che la ricerca di una risposta a tutte quelle domande mi intrigava.

Nel frattempo gli incontri con Falcone erano diventati abituali. La mafia fece così inesorabilmente ingresso nelle nostre conversazioni. Lui se ne occupava a tempo pieno e ne sapeva più di chiunque altro. Non era affatto geloso del bagaglio di conoscenze che aveva accumulato sul fenomeno. Non mi lesinò mai un'informazione, una riflessione, un'intuizione. Compii, così, anch'io il mio salto di qualità. Ne discutevamo con cognizione di causa. Fermo restando che continuavamo a ritenere più appassionante misurarci sul commento all'ultimo libro letto o al film del momento. Politica, pochissima. Musica, quasi niente. Giovanni era un melomane. Io no.

L'uomo non finiva di sorprendermi. Quando veniva a cena per i miei figli era una festa. Nessuno sapeva intrattenerli come lui. Paolo aveva dieci anni, Vittoria otto e Carla quattro. Per ognuno lui aveva l'argomento giusto. La demenzialità delle sue battute li faceva sbellicare dalle risate.

Un esempio: Vittoria, quando sapeva che sarebbe venuto Giovanni, si appostava per essere sicura di rispondere al citofono. Lui suonava e lei diceva «Pronto». A quel punto arrivava la domanda: «Ma tu chi sei?». «Sono Vittoria.» «E mi dici pronto? Sei una bambina, pronta mi devi dire. Pronto è maschile. Lo può dire Paolo, tu no.» Il tutto mentre il traffico era bloccato e cinque o sei uomini armati controllavano la situazione in attesa che il giudice varcasse il portone. Se me lo raccontassero, non ci crederei. Ma era sempre così. Fatto sta che i miei figli sono cresciuti sulle sue ginocchia e la loro granitica riservatezza non riesce a nascondere quanto ne siano giustamente orgogliosi.

La mafia continuava a tenere altissimo il livello dello scontro militare con lo Stato. Il 30 aprile 1982, poco dopo le nove del mattino, Pio La Torre sedeva accanto al suo autista Rosario Di Salvo nella Fiat 132 che stava percorrendo una stradina stretta in piena città. Una motocicletta, con una spericolata manovra, costrinse Di Salvo a frenare. Non avrebbe più ripreso la marcia: i due furono raggiunti da una gragnuola di colpi d'arma da fuoco (saranno ritrovati una quarantina di bossoli). L'autista fece in tempo a estrarre la sua pistola e a sparare, ma a vuoto. Da un'auto scesero altri killer che si occuparono di chiudere la barbara esecuzione con i «colpi di grazia».

Se ne andava non soltanto un alto dirigente politico del Pci, ma l'alfiere della memorabile protesta popolare contro l'installazione di missili a testata nucleare a Comiso. Nonché il sottoscrittore, assieme a Virginio Rognoni, di un importante disegno di legge, che giaceva su un binario morto del Parlamento, destinato a potenziare le misure di prevenzione patrimoniale e a introdurre nel nostro codice penale una nuova figura di reato: l'associazione a delinquere di stampo mafioso, scolpita dall'articolo 416 bis.

Il presidente del Consiglio Spadolini e il ministro dell'Interno Rognoni accelerarono l'invio a Palermo del prefetto Carlo Alberto Dalla Chiesa che si insediò ai primi di maggio. Privo, però, di quei poteri speciali che chiedeva e che continuerà ad aspettare. Non per molto. Appena cento giorni.

L'uccisione di La Torre e del povero Di Salvo fu vissuta come un autentico trauma da ampi strati del popolo siciliano. Ai funerali si ritrovarono in oltre centomila ad ascoltare il discorso di Enrico Berlinguer. Come sempre in questi casi seguì lo sgomento. Ne fummo coinvolti anche noi. Ci incontrammo a fine mattinata, senza appuntamento, nella stanza di Rocco Chinnici. C'erano Falcone, Borsellino e gli altri. Non parlammo molto. Le frasi erano brevi. Più eloquenti erano gli sguardi. In realtà ciascuno aveva qualcosa da dire, ma a se stesso: succederà ancora.

I progressi di polizia e carabinieri che avevo intuito si rivelarono concreti. Nel giugno 1982 venne presentato al procuratore della Repubblica un corposo rapporto giudiziario a «firma congiunta» di polizia e carabinieri. I denunciati erano 162. Il primo della lista era Michele Greco detto «il papa», mai neanche sfiorato da indagini serie, tanto che era munito di porto d'armi e soleva frequentare alcuni dei salotti più chic della città, ossequiato e riverito come si conviene a un capo. Le sue principali attività erano, però, ben altre.

Quel rapporto, oltre a contenere altri nomi altisonanti del gotha mafioso, ci fornì la «prima lettura» della guerra di mafia. Le famiglie mafiose venivano distinte in «perdenti» e «vincenti». Queste ultime erano quelle alleate con i Corleonesi di «Totò» Riina e Bernardo Provenzano, dei quali sostenevano il «disegno egemonico»: impadronirsi del comando dell'organizzazione mafiosa. Chi non era con loro veniva ucciso. Non erano previste alternative.

Ma c'era di più. Per la prima volta una breccia si era aperta nel muro d'omertà che da sempre proteggeva dallo sguardo esterno la vita dell'organizzazione, i suoi metodi, gli affari, gli interessi e le complicità. Era chiaro che gli investigatori si erano avvalsi del contributo di «confidenti», questa volta di ottimo livello e in grado di fornire informazioni nuove di zecca. Uno di questi veniva indicato con lo pseudonimo assai significativo di «prima luce». E, in effetti, si cominciava finalmente a far luce su un mondo da sempre avvolto dalle tenebre del mistero. Polizia e carabinieri erano stati proprio bravi. E molto determinati.

Il rapporto fu assegnato ai due colleghi che vantavano la maggiore esperienza in materia. Io ne ricevetti una copia perché potessi aggiornarmi. Non lo sapevamo ancora, ma quel documento era l'embrione da cui nascerà un gigante: il «maxiprocesso».

In quello stesso mese fu consumata a Palermo la cosiddetta «strage della circonvallazione». Un gruppo di fuoco, armato come al solito di kalashnikov, per uccidere il boss catanese Alfio Ferlito, non esitò a far fuori anche l'autista e i tre carabinieri di scorta che lo stavano trasferendo da un carcere a un altro.

Ai primi di luglio trovai sulla mia scrivania il voluminoso rapporto che la polizia giudiziaria aveva presentato al procuratore in merito alla «strage». Me ne sarei dovuto occupare io. Lessi quello che c'era da leggere. Il lavoro di polizia giudiziaria, anche questa volta, mi parve di qualità. Ma c'era un problema: la vittima era di Catania. Ferlito era stato ucciso a Palermo ma le ragioni che avevano portato alla decisione di farlo fuori affondavano nei contrasti sorti in seno a quella criminalità organizzata della quale molto non sapevo.

Acquisii vari atti dei colleghi catanesi e degli organi locali di polizia e abbozzai un quadro non proprio da stracciare. Trasmisi il tutto al giudice istruttore. Sarà proprio la «strage» a tirarmi dentro al «pool antimafia», non ancora venuto alla luce, ma già in gestazione.

Ma procediamo con ordine. In quei giorni ricevetti una telefonata di Ninni Cassarà, che mi chiedeva un incontro. Nulla di insolito. Tutti e due eravamo molto impegnati, per cui decidemmo di vederci a casa mia a lavoro concluso. Il che voleva dire non prima delle ventidue: erano queste le sue abitudini che ben conoscevo. Lo ricevetti pensando che avremmo dovuto parlare chissà di quale indagine. E invece lo vidi aprire un busta ed estrarne una grande fotografia a colori, che mi mostrò. La guardai e gli chiesi: «Ma questo non sono io?».

Ricordavo benissimo quando, dove e in quale occasione era stata scattata. Almeno quattro o cinque anni prima, durante un concerto di Peppino Di Capri al «Castello» di San Nicola L'Arena, al quale avevo assistito assieme ad alcune coppie di amici, tutti seduti attorno a un tavolo del locale. «Sì,» mi fece osservare Ninni «questo non c'è dubbio che sei tu. Ma lo sai chi è questo anziano signore con i capelli bianchi seduto al tavolo accanto al tuo?» «Mai visto» risposi. «Allora te lo dico io chi è. È Michele Greco!» «Ma va'?»

Ninni era reduce da una perquisizione in casa di Greco che, dopo il rapporto dei 162, si era reso latitante. In quell'appartamento aveva rinvenuto la foto e l'aveva sequestrata. «Che ne facciamo?» mi chiese. «E che ne vuoi fare? Domani mattina vai all'ufficio istruzione e la depositi agli atti. Anzi, consegnala direttamente a Rocco Chinnici» risposi. Convenne che era questa la giusta destinazione della foto. Altra non ce ne poteva né doveva essere. Commentammo quel tanto che la vicenda meritava. Mi sfotticchiò un po' e se ne andò.

Allora nessuno dei due poteva immaginare che quella fotografia sarebbe stata usata per anni come «inquietante ombra» contro di me, ma anche contro Giovanni Falcone, reo, secondo una certa stampa, di averla «tenuta gelosamente nascosta nei suoi cassetti per proteggere l'amico fidato». Mentre invece, sin dal giorno successivo alla sua scoperta, giaceva tra le pagine del maxiprocesso. Valuti chi legge la natura degli schizzi di fango che periodicamente ci gettarono addosso ma, ancor di più, lo spessore morale dei nostri diffamatori.

Arrivarono le ferie. Le trascorsi a Mondello nella villa di famiglia, dove eravamo soliti passare l'estate con qualche intervallo che ci portava nella tenuta di mio suocero, in quel di Canicattì. Mia moglie tendeva ad allungare quei periodi, perché al mare preferiva decisamente la campagna e soprattutto la vicinanza dell'amatissima madre. I bambini ci stavano a meraviglia tra cavalli, mucche e agnellini. Il rischio di annoiarsi non lo correvano, anche perché il nonno, patriarca tanto autorevole quanto premuroso, aveva provveduto a mettere a loro disposizione la ciliegina sulla torta: una bella piscina con tanto di trampolino. Io, invece, sopraffatto dal mio amore per il mare, me ne tornavo ogni tanto a Mondello, viaggiando sempre con la mia formidabile Honda 900-Bol d'or. La motocicletta è sempre stata la mia grande passione.

La mafia decise che anche il mese più caldo dell'anno richiedeva la sua dose di sangue innocente. La mattina dell'11 agosto 1982 il professor Paolo Giaccone, ordinario di medicina legale e abituale perito dell'autorità giudiziaria, percorreva un vialetto del Policlinico per recarsi al suo istituto. Non riuscì a raggiungerlo perché un sicario lo freddò senza pietà, allontanandosi immediatamente. Giaccone pagava il rifiuto di «accomodare» una perizia balistica che incastrava i killer della «strage di Natale», resa dei conti tra mafiosi regolata con le armi (e con i morti) a Bagheria, il giorno di Natale dell'anno precedente. Avevo lavorato più volte con Giaccone. Per noi magistrati della procura era quasi un'istituzione per la sua meritata fama di scienziato, ma anche per la sua disponibilità e per l'assoluta affidabilità. Era una persona seria e onesta. E quanto lo fosse, lo dimostra paradossalmente proprio la sua morte. Come tutti i miei colleghi del tempo ne conservo un ricordo profondo.

La sera andavo spesso da Alfredo Morvillo che, con moglie e figlia, si trasferiva d'estate nella sua casa all'Addaura, a due passi da Mondello. Giovanni e Francesca c'erano quasi sempre. Trascorrevamo piacevoli serate. Parlavamo anche di lavoro, ma senza esagerare.

Cresceva la mia confidenza con Francesca, grazie ai progressivi cedimenti della sua impenetrabile riservatezza. Era una donna bella, intelligente e colta. Un'osservatrice puntuale e rigorosa. Non amava parlare, svelarsi le era impedito da un self control rigido ma non severo e che sapeva sempre ingentilire con un sorriso dolce e accattivante. Preferiva di gran lunga ascoltare, senza passività, ma con una partecipazione tanto cauta quanto attenta. L'essenziale le bastava per appagare l'interlocutore con la sua ricchezza interiore e con una gran classe, arricchita dai modi ma, ancor di più, dal perfetto equilibrio tra contenuti e misura.

La sua più grande amica era la madre, la signora Lina, donna acuta, di carattere e fine sensibilità. Rimasta sola anzitempo, aveva accompagnato il cammino dei due figli verso la vita da adulti con una presenza discreta ma assidua. Un'interlocutrice autorevole e, al tempo stesso, complice.

Francesca, spinta dall'amore per il padre e per il suo mestiere, era stata una delle prime donne a entrare in magistratura. La sua professionalità era riconosciuta e rispettata anche da Giovanni. Il loro era un legame solido, cementato da un'intensa affinità caratteriale e da una totale comunanza di interessi. Si piacevano e si stimavano senza riserve e senza finzioni. Nessuno dei due ne sarebbe stato capace. Non li vidi mai scambiarsi effusioni, come capita di frequente tra innamorati. Coglievo, però, certi indimenticabili sguardi d'intesa che non potevano sfuggirmi. «E datevelo un bacio!» era il mio invito in quei momenti. Non lo accolsero mai, ma i sorrisi si scioglievano in una tenerezza più forte della gelosa custodia dei loro sentimenti.

Si sposeranno nel maggio 1986, riducendo all'essenziale le presenze alla cerimonia: il sindaco officiante e un testimone per ciascuno. Quello di Giovanni era Antonino Caponnetto. Neanche la scorta ne fu informata. Una trasgressione che non si ripeterà. Fino alla fine. Nel tardo pomeriggio ricevetti una telefonata di Giovanni: «Se vieni a casa c'è un brindisi che ti aspetta. Dobbiamo festeggiare un avvenimento importante». Solo dopo aver riempito di spumante il mio bicchiere, mi invitò a baciare la mano della signora Falcone. Si scambiarono finalmente un bacio. «Per farti contento!» precisarono sorridendo.

Giovanni dava sempre grande peso all'opinione di sua moglie, anche nelle questioni che riguardavano il nostro lavoro. Capitava pure che non si trovassero d'accordo. In quei frangenti venivo coinvolto per dire la mia. Ha raccontato la mia seconda moglie a Felice Cavallaro, giornalista del «Corriere della Sera»: «Giovanni esponeva il fatto, poneva la questione e attendeva il parere di Giuseppe. Quando, come sempre accadeva, il parere arrivava conforme al suo, Giovanni guardava Francesca con l'aria di chi sapeva che non poteva andare diversamente, con l'atteggiamento di chi avrebbe escluso ogni altra ipotesi, riconoscendo al suo amico quasi un'autorevolezza super partes». Francesca abbozzava, ma ci prendeva in giro fingendo un moto di gelosia: «I fidanzatini, come al solito, cinguettano all'unisono».

In una delle tante serate estive trascorse in casa Morvillo, Giovanni mi raccontò l'evento della giornata. Si era recato a fare il bagno allo stabilimento La Torre, in compagnia dell'onnipresente scorta. Dopo essersi tuffato, in preda a una gran voglia di nuotare, non si era reso conto che i due poliziotti, che lo seguivano anche in acqua, erano tornati indietro, non riuscendo a sostenere il suo ritmo.

Quando se ne accorse, guardò verso la riva, ormai lontana, e notò che i due armeggiavano con la radio portatile. Afferrata la situazione, si affrettò a ritornare, evitando l'arrivo della motovedetta che il caposcorta aveva allertato. «Lo capisci? Non posso più neanche nuotare!» fu il suo ironico commento, velato da un po' di tristezza. «Te li immagini i giornali? Il giudice Falcone, per farsi il bagno scomoda addirittura una motovedetta!»

Non aveva torto. Capivo che per lui era un sacrificio vero. Aveva un fisico plasmato dalla ginnastica artistica, dal canottaggio e dal nuoto, ai quali si era dedicato con l'impegno che metteva in tutto quello che l'appassionava, il massimo. I suoi muscoli si sentivano trascurati. Non essendoci abituati, perdevano la pazienza e rivendicavano il loro ruolo. Li accontentò dopo un po' di tempo: piscina coperta anche d'inverno alle sette del mattino. Non spesso, quando poteva. Ma meglio di niente: «Zitti e buoni. Questo passa il convento». La mia battuta lo divertì molto perché gli consentì di replicare: «Qualunque rinunzia non potrà mai ridurre i miei muscoli al livello dei tuoi». «Ma io sono un longilineo, mio caro. Altra struttura. Tu tarchiatello sei. Il paragone non regge» lo zittii.

La sera del 3 settembre 1982 Giovanni e Francesca vennero a trovarci anche per salutare mia moglie e i bambini ritornati dalla campagna. Ci trasferimmo quindi in un vicinissimo ristorante, che offriva, oltre al buon cibo, una collocazione attigua al commissariato di Mondello. Niente male per la sicurezza.

Mentre stavamo mangiando, vidi un uomo della scorta, con la radio ricetrasmittente in mano, avvicinarsi a Giovanni e sussurrargli qualcosa all'orecchio. Giovanni cambiò subito espressione. Mi fece un cenno con lo sguardo indicandomi di seguirlo. Ci alzammo, allontanandoci un po'. «Hanno ucciso Dalla Chiesa e la moglie. Pochi minuti fa, in via Carini. Io ci vado. Tu torna al tavolo, paga il conto e andate a casa tua. Ci sentiamo dopo.» Si avvicinò un attimo a Francesca, le sfiorò i capelli e la rassicurò: «Devo andare, ti spiega tutto Giuseppe». Non mancò una carezza per Pinì, mia moglie.

Non avevo nulla da spiegare. Comunicai la notizia e corremmo a casa. Entrammo nel momento in cui la televisione dava conferma della strage. Avevano ferito gravemente anche Domenico Russo, l'autista che li seguiva a bordo di un'altra auto. «Bambini a letto» esclamò prontissima Pinì. Stavano giocando in giardino e non avevano sentito niente.

Rimasi per qualche minuto solo davanti allo sguardo di Francesca. Avevamo ormai molta confidenza, ma non mi sarei mai aspettato che rompesse quel cupo silenzio per parlare di me e non di Giovanni: «Giuseppe, fermati. Finché sei ancora in tempo, e lo sei, fermati. Sei bravo, sei brillante, occupati di altro. Lasciala perdere 'sta maledetta mafia. Pensaci, ti prego». Tacque, anche perché si accorse che Pinì ci stava raggiungendo.

La televisione fu la salvezza. Ognuno di noi finse di seguire le notizie per non parlare. Quando l'edizione straordinaria finì, ciascuno disse qualcosa. Ma nessuno accennò a quello che realmente sentiva dentro. Arrivò una macchina della polizia mandata da Giovanni per prelevare Francesca e accompagnarla a casa. Rimasi solo con mia moglie. «Pinì» accennai, ma lei, bravissima, non mi fece continuare. Con un «povera Francesca» offrì una comoda via di fuga a tutti e due.

Se dicessi di non avere trascorso un bel pezzo di quella notte a pensare alle parole di Francesca, mentirei. Quello che ho fatto dopo, e per anni, spiega meglio di qualunque parola la decisione che presi.

III
Saguntum expugnatur

L'indomani mattina appresi in ufficio tutti i particolari: due gruppi di fuoco per non meno di dieci persone, a bordo di una Fiat 131 e di una Bmw. Armi adoperate, ovviamente, kalashnikov. Il povero autista era vivo. In ospedale, ma senza molte speranze. Morirà qualche giorno dopo.

Un indimenticabile cartello comparve nel luogo dello sterminio: «Qui è morta la speranza dei palermitani onesti». Del resto, chi potrà mai dimenticare la foto della A112 bianca con i due cadaveri a bordo? La pubblicarono i giornali di mezzo mondo. La rabbia e l'indignazione si impadronirono della città. I funerali furono celebrati il 5 settembre. La folla era immensa, spingeva per entrare in chiesa e dare sfogo a tutte le frustrazioni accumulate in quelle ore. Tutti gli uomini politici presenti furono contestati.

Il mio amico Nando, Rita e Simona Dalla Chiesa, distrutti dal dolore, rifiutarono la corona di fiori della regione Sicilia e abbracciarono soltanto il presidente Pertini, che piangeva senza freno. Il cardinale Pappalardo si consegnò alla storia del nostro Paese pronunciando quella frase: «Dum Romae consulitur, Saguntum expugnatur» (mentre a Roma si discute, Sagunto viene espugnata), che valeva più del più severo dei discorsi. Non si ripeterà. E non certo per mancanza di occasioni. Qualche anno dopo ci penserà Giovanni Paolo II, con tutta la forza del suo straordinario carisma, a scuotere le coscienze di laici e cattolici con quell'incancellabile «Convertitevi!», rivolto imperiosamente ai mafiosi in occasione della sua visita in Sicilia. Senza alcun seguito, purtroppo.

La strage di via Carini fu un autentico shock per il Paese. Finalmente il Parlamento uscì dal suo torpore, richiamando dal dormitorio il disegno di legge Rognoni-La Torre, che fu approvato in quattro e quattr'otto. Entrarono così in vigore nuove norme per un più efficace contrasto del fenomeno mafioso. L'uccisione di La Torre non era bastata, fu necessaria anche quella di Dalla Chiesa.

Le indagini sul massacro facevano capo alla collega di turno, affiancata in quell'occasione da un brillante magistrato di lunga esperienza, Domenico Signorino. Due fatti inquietanti le caratterizzarono. In occasione del primo accesso a Villa Pajno, la residenza del prefetto, a poche ore dall'eccidio, non fu possibile aprire la cassaforte perché non si trovarono le chiavi. Due giorni dopo si scoprì che erano custodite nel cassetto dove venivano riposte d'abitudine, ma che quella notte era risultato vuoto. La cassaforte fu aperta. Dentro non c'era nulla. Qualcuno aveva provveduto a svuotarla? Ma chi e perché? Quesiti ancora oggi senza risposta.

C'è qualcuno in questo Paese che si occupa della sottrazione dei documenti più personali delle vittime – cosiddette «eccellenti» – a cadavere ancora caldo. Una sorta di specialissima «agenzia funebre» parallela che, anziché badare al morto, si incarica di trafugare tutte le carte più direttamente riferibili allo scomparso. La borsa che Aldo Moro aveva con sé al momento del sequestro? Mai trovata. Il computer di Giovanni Falcone? Ripulito. L'agenda rossa di Paolo Borsellino? Scomparsa. Il mandato prescinde dal contenuto di ciò che viene sottratto alle indagini. Ma viene eseguito con straordinaria tempestività. In nome, forse, di un «non si sa mai» che sarebbe interessante capire a chi fa capo. Magari un giorno, se scoperti, ci diranno che tutto questo avviene «nel superiore interesse dello Stato», mentre le povere vittime muoiono convinte di averne servito un altro. È irragionevole supporre che la velocità dell'intervento consegua alla preventiva conoscenza del delitto che sarà consumato? L'efficienza è troppo fulminea per non essere sospetta.

Pochi giorni dopo il 3 settembre, i titolari delle indagini vennero informati che si era presentato ai carabinieri di Bergamo un certo Giuseppe Spinoni, il quale asseriva di essere stato testimone oculare del delitto Dalla Chiesa e di avere riconosciuto uno dei killer. Venne tempestivamente interrogato. Fornì una ricostruzione dei fatti dettagliata e conforme agli esiti dei primi accertamenti di polizia giudiziaria. Indicò in tale Nicola Alvaro uno degli assassini, precisando di conoscerlo molto bene per essere stato, per un certo periodo, suo compagno di cella. Gli accertamenti disposti indicarono Alvaro come un malavitoso calabrese di rango (in effetti alcuni anni dopo sarà ucciso in un conflitto a fuoco). Si pensò a un pazzesco colpo di fortuna degli investigatori. Alvaro finì in carcere con la pesantissima accusa di avere assassinato, in concorso con altri allo stato ignoti, il generale, la moglie e l'autista.

Gli atti vennero trasmessi al giudice istruttore. E qui comincia il bello, si fa per dire. All'ufficio istruzione i processi di mafia venivano tendenzialmente riuniti, se no la «visione unitaria» andava a farsi benedire. Il nostro ufficio, che non poteva tecnicamente darsi quel tipo di organizzazione, si ritrovò quindi con un numero eccessivo di sostituti che avrebbero dovuto seguire l'istruttoria unificata.

Fummo perciò convocati dal nostro capo, il quale ci comunicò che quattro, e non di più, sarebbero stati sufficienti alla bisogna. Tra i nomi che fece c'era il mio. Era una soluzione saggia ed equilibrata, che teneva conto delle tante altre esigenze cui doveva far fronte la procura. Basti pensare alla necessità di assicurare la presenza di un pm a tutte le udienze penali del tribunale e della Corte d'assise e all'impegno richiesto dalla mole di processi che gravavano sull'ufficio. Era, comunque, il primo concreto abbozzo del nostro «pool».

La novità non piacque per niente a quasi tutti gli altri colleghi. Venne evocato il sovvertimento dei tradizionali criteri di gestione dell'ufficio, tra i quali il più importante era quello dell'anzianità, e la conseguente creazione, di fatto, di una distinzione tra magistrati di serie A, quelli del pool, e di serie B, gli esclusi. Riconosco che quel malumore era umanamente comprensibile. Non era possibile, però, pensare di affrontare il nuovo, che si annunciava foriero di impegni straordinari, per quantità ma anche per qualità, rimanendo ancorati al tendenziale automatismo della prassi tradizionale. Sui nomi scelti si poteva discutere all'infinito. Uno di questi era arrivato appena un anno prima: ero io. Ma si può contestare al capo di un ufficio gerarchico la facoltà di circondarsi di quelli che lui, a torto o ragione, ritiene, se non i migliori, quantomeno i più adatti ad assolvere un determinato compito? Ne venne fuori un dibattito incredibile in seno all'Associazione nazionale magistrati, al Consiglio superiore della magistratura, al mondo della politica e della più qualificata dottrina. Non dico la mia, che è più che nota da tempo: tutto ciò era incomprensibile. Tre dei quattro prescelti – è sempre odioso parlare di se stessi – erano sicuramente magistrati esperti e capaci. C'era anche qualche bella intelligenza. Il che non guasta mai.

Ci riunimmo, di lì a poco, per darci un primo abbozzo di organizzazione e divisione dei compiti, ma emerse subito un problema. Falcone non era amato. Non si discutevano le sue capacità, almeno a parole, ma «l'iperattivismo dell'ufficio istruzione, da lui trainato, rischiava seriamente di relegare nell'ombra il ruolo della procura». E questo non andava bene.

Li guardai negli occhi, anche perché sapevo che non mi ritenevano estraneo a quel problema, in quanto portatore di una colpa: essere diventato «troppo amico di Falcone». Ma feci finta di niente. «Guardate,» dissi «non nego che stare dietro all'ufficio istruzione è tutt'altro che facile. Ma ci dobbiamo provare lo stesso. Mi pare che attrezzati a farlo lo siamo. Vi faccio un esempio: noi abbiamo i dibattimenti che loro non hanno. È lì che dobbiamo puntare per riaffermare il ruolo del nostro ufficio. Anche perché tanto meglio loro istruiranno i processi, tanto meno complicato sarà per noi vincerli. E tutti assieme avremo fatto una gran bella figura. Senza dire che, alla fine dei conti, quello che ci deve interessare più di ogni altra cosa è che i mafiosi la smettano di uscire assolti da questo palazzo. Questo, e non un altro, è l'obiettivo.» Annuirono con convinzione. Su questo eravamo d'accordo.

Forte del momento di ritrovata unità, affrontai senza peli sulla lingua l'argomento vero: «Mettiamocelo in testa una volta per tutte. Falcone non ha una marcia in più, sono almeno due, se non tre. Cercare la competizione con lui vuol dire consegnarsi alla sconfitta, che non piace a nessuno. Volete sapere come la penso? Giovanni è il motore di un'automobile della quale tu sei i freni, io il cambio, lui la frizione ecc. Se fermiamo il motore, o se anche lo rallentiamo, ammesso che sia possibile, che figura ci facciamo? Dobbiamo fare in modo, invece, che il motore funzioni al massimo, perché freni, cambio e frizione saranno così messi nelle condizioni di dare il meglio. In sintesi: "Se gloria ci sarà, ci sarà per tutti"». Non li convinsi. Fine della riunione.

Tornai nella mia stanza. La segretaria non c'era, ma trovai un suo appunto: «Ha chiamato il dottor Falcone». Alzai il telefono: «Giovanni, mi hai cercato? Dimmi». Rispose: «No... senti, ti volevo dire che bisognerebbe andare al più presto a Roma, a Torino e a Milano. Ti dirò poi perché. Pensavo che, siccome tu hai il problema delle udienze, non è che mi potresti dare i giorni della prossima settimana in cui sei libero e puoi partire? Così organizzo io il tutto».

Incredibile, dissi a me stesso. Aveva saputo in tempo reale del nuovo organigramma e, come se fosse la cosa più normale del mondo, mi aveva già inserito nel suo programma di lavoro, comunicandomelo come se partire assieme fosse un fatto abituale; e invece non era mai accaduto. Affettai anch'io una grande naturalezza: «Tutti i giorni, tranne martedì. Va bene?». «Sì, va bene, poi ti richiamo. Ciao.» Che personaggio! Fu l'unica cosa che mi venne di pensare.

Lasciai l'ufficio un po' prima del solito. Presi la moto e prolungai di molto il tragitto verso casa sforzandomi, con successo, di chiudere le porte della mia mente ai tanti pensieri che sgomitavano per invaderla.

Giunto a casa, accennai la novità a mia moglie. Non potevo non farlo. «Sei contento?» mi chiese. «Sì certo,» risposi «anche se dovrò lavorare molto di più.» Con un accenno di sorriso mi segnalò che la breve conversazione era esaurita.

Il resto della giornata trascorse senza alcuna novità. Mi intrattenni un po' con i bambini e, dopo l'irrinunciabile pennichella, mi chiusi nel mio studio a lavorare. Assaporai la normalità. Era un gusto che sapevo mi sarebbe presto mancato. Alzai il telefono per chiamare Giovanni, ma la mia mano si fermò quando l'indice stava già sulla prima cifra del suo numero.

Il weekend lo dedicai tutto ai figli. Sabato mattina li accompagnai a scuola, come d'abitudine. Li andai a riprendere, dopo un paio d'ore di ufficio. Nel pomeriggio li portai al cinema. Tutto normale, ancora una volta.

Trascorsi la domenica sera a casa Falcone. C'era pure altra gente, per cui ci limitammo a un rapido accenno al fatto che ci saremmo ritrovati a lavorare assieme. Non fece nulla per impedirmi di capire che la novità gli era assai gradita. Io, invece, glielo dissi espressamente con una chiosa, tra il serio e il faceto: «Senza esagerare però. Mi raccomando». «Vedremo» rispose sibillino. E aggiunse: «Ti aspetto domattina in ufficio. C'è una bella gatta da pelare. Vedrai!».

Il felino si chiamava Giuseppe Spinoni, il teste oculare dell'omicidio Dalla Chiesa, l'accusatore di Alvaro. Giovanni aveva già letto tutte la carte. Le più interessanti le aveva fatte fotocopiare e raccogliere in un fascicolo, con su scritto «Coll. Ayala», che mi consegnò con l'invito a studiarle per bene. Ne avremmo parlato nel pomeriggio. Non aggiunse altro. Quando ci rivedemmo, posai il fascicolo sulla sua scrivania, lo indicai con l'indice destro e gli comunicai: «Secondo me l'amico dice minchiate, anche se le dice bene. Se no Signorino non ci cascava. Ma minchiate lo stesso sono».

La mia sicurezza lo infastidì un po'. Assunse un tono serio e commentò: «Per la verità neanch'io giurerei che si tratta di oro colato. Dobbiamo procedere, però, con i piedi di piombo. Su questa roba ci giochiamo la faccia. Poi c'è il problema che il tuo ufficio la sua l'ha già esposta. L'unica cosa da fare è interrogarlo al più presto. Le carte sempre carte sono».

L'interrogatorio avvenne a Roma, non più di un paio di

giorni dopo, nei locali di una caserma dei carabinieri. Giovanni condusse un esame testimoniale impeccabile: tono pacato e rassicurante, domande secche, richieste di precisazioni puntuali e nessun segno che tradisse i nostri dubbi. Il teste si sentì a suo agio e resse molto bene il confronto.

Un'intuizione mi fulminò. La sua ricostruzione del delitto non era, come sembrava, aderente agli accertamenti di polizia giudiziaria. Era identica a quella riferita dai giornali, dal «Corriere della Sera» soprattutto. Alcuni particolari m'indirizzarono in tal senso, ma sul momento non lasciai trapelare nulla.

Quando restammo soli, dissi a Giovanni, che invece era rimasto colpito dalla tenuta di Spinoni: «Ascoltami bene. Questo la sera del 3 settembre chissà dov'era, non ne ho la più pallida idea, ma sono sicuro che non era a Palermo, in via Carini. Sai che ha fatto? S'è letto per bene i giornali, ha mandato a memoria la descrizione della scena del delitto ed è venuto a spiattellarla prima ai colleghi della procura e poi a noi».

Giovanni non ci aveva pensato, la mia ipotesi lo colpì. «Certo, i giornali! Non è che lui è venuto a raccontare un fatto che solo chi c'era poteva ricostruire. Grazie alla stampa e alla televisione un mare di italiani, per non parlare dell'estero, sa come sono state freddate le tre vittime. La tua teoria, te ne devo dare atto, regge benissimo. E può essere la chiave di volta.»

Per sdrammatizzare, gli spiegai: «Vedi, Giovanni, tu sei una persona sincera e lineare. Io ho imparato a mentire. Il mio confronto con Spinoni è, perciò, avvenuto sul piano professionale. Non lo ascoltava il magistrato, ma una specie di collega. E lì l'ho fottuto. Che ne sai tu di bugie?». Rise e concluse: «E due! Anche a questo non avevo pensato. Ho interrogato Spinoni avvalendomi di un esperto, non ti pare?». Confermai.

Dopo qualche giorno, a Palermo, interrogammo di nuovo il teste. Lo affidammo poi a Ninni Cassarà e al capitano Honorati, perché lo accompagnassero sul luogo del delitto per fargli precisare in loco le indicazioni che aveva fornito. Lo portarono in via Carini. Però non in via Isidoro Carini, che era stata teatro della strage, ma in via Giacinto Carini. Una strada lontana e diversa, ma quasi omonima. Non ricordo di chi dei due fu la trovata. Ma fu geniale. Lo Spinoni, sicuro di trovarsi in via Carini, descrisse per filo e per segno tutto ciò che aveva visto in quella tragica notte. Naturalmente l'80 per cento del suo racconto non quadrava con l'assetto dei luoghi.

Quando tornò davanti a noi, non fu difficile sbugiardarlo e fargli confessare di essersi inventato tutto. La notte del 3 settembre aveva dormito a Venezia. Con mia grande soddisfazione, ammise di essersi preparato proprio leggendo i giornali. Per maggiore sicurezza acquisimmo dalla questura lagunare il cartellino alberghiero che provava il suo sonno veneziano. L'indomani interrogammo Alvaro e gli restituimmo la libertà. Si congedò incredulo, bisbigliando più volte: «Grazie, grazie».

Si era trattato di un depistaggio? Ci lavorammo un po' su. Ma non emerse nulla di significativo. Il teste oculare era soltanto un povero diavolo, magari «tanticchia» mitomane, che voleva vendicarsi delle angherie subite da Alvaro durante la convivenza in carcere. Fine della trasmissione, con grande eco massmediatica.

Era meglio non pensare a quanta attenzione si riversava su quell'indagine. La legittima ansia di giustizia dei fratelli Dalla Chiesa e della famiglia Setti Carraro coinvolgeva comprensibilmente tutto il Paese. Di conseguenza anche gli occhi dei Palazzi romani erano puntati su di noi. Montava l'aspettativa. Bisognava fare di tutto per non tradirla. Il primo passo si era rivelato giusto. I successivi dovevano confermarlo. Non era facile, ma ci avremmo provato.

Falcone, leale come sempre, non nascose a nessuno che tutto era cominciato grazie alla mia intuizione «giornalistica». Ne fu molto contento il mio capo, Vincenzo Pajno.

L'ufficio, credendo a Spinoni, era senza dubbio incappato in un brutto incidente di percorso. Ma era poi riuscito ad avviare il rimedio all'errore.

La settimana successiva partimmo per Torino. La sortita milanese era stata rimandata. Sveglia alle prime luci dell'alba. Volo ricco di turbolenze, con scalo tecnico a Cagliari. Incontro molto interessante con i colleghi piemontesi, ricordo Maddalena e Saluzzo, che ci passarono un intero faldone di intercettazioni telefoniche a proposito del traffico di stupefacenti su cui indagavamo anche noi. Ci scambiammo le informazioni di cui disponevamo. Capii quanto redditizia fosse la collaborazione tra i vari uffici giudiziari impegnati sul medesimo fronte. Per non dire quanto utile fosse per ciascuno di noi il confronto con le esperienze professionali degli altri. Era la prima volta, ma non faticai neanche un attimo a rendermi conto che quella strada andava percorsa per intero. Falcone aveva proprio ragione.

Nel pomeriggio era fissato l'interrogatorio del trafficante di stupefacenti, ospite delle carceri torinesi, che costituiva la ragione principale del nostro viaggio.

Esaurite le formalità di rito, il detenuto ci comunicò che intendeva avvalersi della facoltà di non rispondere. Come dire che eravamo venuti per niente. Chiusura del verbale e fine delle operazioni. Con l'aggravante che non potevamo neanche ripartire subito. Il primo volo utile era l'indomani mattina, presto naturalmente. Fummo ospiti nella bella foresteria di una caserma della guardia di finanza.

Rientrato in ufficio, mi divertii a raccontare agli altri tre del pool l'esito del blitz torinese: «È stata una sfacchinata, ma ne valeva veramente la pena. Si è avvalso della facoltà di non rispondere» conclusi scherzando.

Poco dopo fu la volta di Milano, dove ci saremmo fermati due giorni, per poi proseguire per Venezia. Avevamo un sacco di cose da fare. Cominciammo con alcune riunioni, già concordate, con i colleghi sia della procura che dell'ufficio istruzione. In un sol colpo conobbi alcuni dei migliori magistrati che mi sia mai capitato d'incontrare. I nomi sono arcinoti. Gerardo D'Ambrosio, Piercamillo Davigo, il povero «Ciccio» Di Maggio, Armando Spataro, Giuliano Turone e Gherardo Colombo. Con molti di loro nacquero rapporti personali mai interrotti.

Rientrati all'Hotel Gallia, dove soggiornavamo, ci fermammo al bar per un aperitivo prima della cena, in compagnia dei due ufficiali di polizia giudiziaria che ci assistevano nell'occasione. Giovanni mi chiese: «Che te ne è sembrato degli incontri di oggi?». Percepii la risposta che si aspettava e gliela fornii con una battuta che diceva tutto: «Niente, non mi hai fatto incontrare una buona squadra. Mi hai fatto cominciare con la Nazionale. Che ti devo dire?». Sorrise molto compiaciuto. Per la prima volta lo vidi assumere quel ruolo di fratello maggiore che non abbandonerà più.

Ma le cose a quel punto si complicarono. Mentre sorseggiavamo il nostro drink, uno dei due ufficiali, guardando verso la porta d'ingresso del bar che era alle mie spalle, esclamò: «Minchia, che bella donna!». Mi girai, la guardai, mi rigirai, chiesi scusa e mi alzai. I tre mi videro parlare con lei, riavvicinarmi al tavolo, comunicare che non avrei potuto cenare con loro e che ci saremmo rivisti l'indomani, tornare indietro, prenderla a braccetto e uscire.

L'incontro non era stato casuale. Non ci sentivamo da mesi. Aiutati dalla lontananza e dal silenzio, avevamo di comune accordo deciso di troncare una storia importante che ci legava da circa tre anni, ma che soffriva a causa della mia condizione di uomo sposato con tre figli. Galeotto era stato il «Corriere della Sera», che aveva dato notizia dell'arrivo a Milano dei giudici Falcone e Ayala. L'albergo lo conosceva. L'orario giusto per trovarmi pure. La voglia di vedermi era stata più forte del nostro patto. L'indomani, alle otto in punto come d'accordo, il barman preparò il mio primo caffè, molto ristretto.

I due ufficiali ci confermarono che avevano predisposto il programma della giornata secondo le indicazioni ricevute. Gli interrogatori si sarebbero, presumibilmente, conclusi alle tredici circa, per riprendere alle quindici. «Non possiamo fare alle sedici?» proposi. Giovanni, al volo: «Ma sì, facciamo alle sedici, ha ragione il collega». Con gli occhi lo ringraziai. Con gli occhi mi censurò. Bonariamente. Voleva capire.

Lavorammo bene tutto il giorno, ma non consumammo i pasti assieme. Il cameriere del ristorante dove io e Natalia ci recammo per pranzo ricorderà ancora la mia ordinazione: «Due bistecche e il conto, grazie». Avevo fretta di stare con lei da solo, nel suo appartamento che era proprio al piano di sopra.

Nel pomeriggio, in un breve intervallo tra un interrogatorio e l'altro, comunicai sottovoce a Giovanni: «Domani sul treno per Venezia potrei non essere solo. Se però la cosa ti crea problemi, per la scorta per esempio, dimmelo e non se ne fa niente». «Nessun problema» fu la risposta.

All'arrivo a Venezia trovammo la città avvolta nella nebbia sino alla paralisi. Tutto era fermo, nessun mezzo di trasporto era in condizione di navigare. Un motoscafo dei carabinieri ci venne a prendere per portarci in albergo. Non si vedeva niente. Sembrava fatto apposta: il discorso a tre continuò, così, senza distrazioni. Giovanni ascoltava sempre più partecipe.

Nella hall dell'albergo, dopo aver ritirato le chiavi delle camere, lo sentii dire: «Natalia, io e Giuseppe dobbiamo lavorare tutto il giorno. Mi farebbe molto piacere, però, avervi ospiti stasera a cena. Anzi, fatti consigliare tu un buon ristorante. Grazie, a più tardi». Voleva capire? Aveva capito.

Eravamo quel giorno a Venezia per una importantissima ragione, che ci permise, visto come andò, di posare, sia pure avvolti da quella nebbia, la prima pietra di una delle colonne portanti dell'architettura probatoria del futuro maxiprocesso, lo sbocco processuale del famoso «metodo Falcone». Qual era il problema?

All'indomani dell'omicidio del generale Dalla Chiesa, della moglie e dell'autista, era cominciata a serpeggiare l'ipotesi della pista terroristica, avallata anche dalla stampa. Era già accaduto dopo gli omicidi Mattarella e La Torre. Nel caso del generale, però, c'era un elemento importante in più che rischiava in qualche modo di accreditarla. Dalla Chiesa era arrivato a Palermo dopo avere riportato straordinari successi sul fronte della lotta alle Brigate rosse. Che i terroristi ce l'avessero a morte con lui non era un'ipotesi, era una certezza. Noi, però, avevamo un'altra certezza. Il 3 settembre 1982 era stata la mafia a fare fuoco, non i terroristi. Come dimostrarlo?

Portammo con noi i reperti balistici lasciati dai kalashnikov sul luogo delle uccisioni di Stefano Bontade e Salvatore Inzerillo, di quella mancata di «Totuccio» Contorno, della «strage della Circonvallazione» e dell'omicidio Dalla Chiesa.

Li consegnammo a quello che ci era stato indicato come uno dei migliori periti balistici italiani, residente per l'appunto a Venezia, e lo incaricammo di effettuare una perizia comparativa su quei reperti.

In sostanza il quesito a cui doveva rispondere era: sono stati sparati dalle stesse armi o no? Il tecnico colse la straordinaria importanza del compito che gli stavamo conferendo e ci chiese di potersi avvalere del miglior laboratorio balistico d'Europa, l'unico che, a quei tempi, disponeva del microscopio comparatore elettronico «a scansione»: era quello londinese di Scotland Yard. Lo autorizzammo. Gli inglesi furono ben felici di collaborare e tutto andò per il meglio.

La perizia confermò che i proiettili posti a confronto erano stati sparati dagli stessi fucili mitragliatori kalashnikov Ak-47. Due, per la precisione. La depistante ipotesi terroristica usciva definitivamente di scena. A meno che qualcuno non volesse esercitarsi nell'ipotizzare che Bontade, Inzerillo ecc. fossero stati uccisi, come Dalla Chiesa, non già dalla mafia ma dai terroristi. Non lo fece nessuno. A tutto c'è un limite. E la nostra perizia quel limite l'aveva reso invalicabile.

La cena di quella sera mi regalò un Giovanni in gran forma. Il racconto della storia con Natalia l'aveva affascinato. Per la verità, come ammise, non solo della storia aveva subito il fascino.

Prese la parola il fratello maggiore: «Che di vero amore si tratti è fuori discussione. Che Giuseppe sia sposato, con tre figli, è altrettanto sicuro. Che il tutto possa creare un casino è consequenziale. Che una giovanissima donna, colta, bella, di illustre casato possa correre il rischio di rovinarsi la vita aspettando che questo incommensurabile stronzo si decida al grande passo è eventualità da scongiurare. Che il grande passo possa, però, arrecare ferite a chi proprio non se le merita è la seconda eventualità da cassare. Allora: di comune accordo avevate deciso che Natalia lasciasse Palermo per Milano proprio perché la distanza aiutasse soprattutto lei a troncare un rapporto obiettivamente difficile da sostenere. Sappiamo da ieri che un lungo anno si è dimostrato insufficiente. Se avete la forza, continuate. Ma che la decisione, qualunque essa sia, arrivi in un arco ragionevole di tempo. E lo dico a entrambi. Se no, sofferenze per tutti e, per quanto mi riguarda, un Ayala travagliato, magari distratto e quindi meno efficiente. Sarebbe un vero peccato, non è lusso che possiamo permetterci». «Così parlò Zarathustra» commentai. Una risata e cambiammo argomento. Ne affrontammo parecchi quella sera, grazie a Natalia soprattutto.

La Venezia del giorno dopo si mostrò in tutto il suo splendore. La nebbia si era completamente dissolta e un timido sole rischiarava il grande gioiello. Un treno riportò Natalia a Milano. Un aereo noi a Palermo. Avevo giocato di nuovo la carta della distanza. Così quella notte avevamo deciso. Non servirà, ma in quel momento andava fatto.

In aereo con Giovanni non parlammo d'altro. Natalia lo aveva colpito. «Credimi,» gli dissi «dentro è ancora più bella.» Pensoso, abbassò il capo due o tre volte e soggiunse: «Da quello che ho potuto vedere e sentire, mi pare che tu abbia proprio ragione. Sto pensando a Pinì, ormai la conosco bene, anche lei non è bella soltanto esteticamente. Ma è troppo madre e troppo poco moglie. È tutto lì il problema. Con uno come te, poi… Te la dico tutta: non ti giustifico, ma ti capisco».

Era più, molto più di quanto potessi aspettarmi. Non riuscii a esimermi dal commentare: «Ho messo in crisi il tuo bacchettonismo». «No,» replicò «hai scoperto che anch'io, in fondo, un cuore ce l'ho.»

La complicità era tanto palpabile che mi fece pensare a una saldatrice che operava sulla nostra amicizia.

IV
Una scorta per l'ultimo arrivato

Il mio principale mezzo di trasporto continuava a essere la motocicletta. La usavo anche per tornare nel pomeriggio al Palazzo di giustizia. Non era più possibile lavorare a casa. La mole dei faldoni era tale che, per trasportarli da un ufficio all'altro, non si poteva fare a meno del carrello. Per portarli con me avrei avuto bisogno di un furgoncino. Si trattava, per giunta, di documenti troppo delicati per esporli al rischio di qualche incidente domestico.

Il corridoio che ospitava gli uffici della procura dalle quattordici in poi era deserto. L'unica luce accesa era nella mia stanza. Non durò molto. Col passare del tempo notai che anche quella degli uffici degli altri colleghi del pool segnalava la loro presenza al tavolo di lavoro. I pochi abitanti di quel deserto instaurarono, per forza di cose, l'abitudine di scambiarsi visite. I rapporti personali, pur nell'insormontabile diversità delle opinioni, ne guadagnarono molto. Non era male.

Intorno alle venti decidevo puntualmente che ero stanco. Chiudevo tutto e mi trasferivo al «piano ammezzato», nell'ufficio di Falcone, blindato e privo di finestre. Sapevo quale sportello della libreria nascondeva la bottiglia di Laphroaig, il suo whisky prediletto, e, accennando a un brindisi, lo costringevo a concedersi una pausa.

Molto spesso sopraggiungeva Paolo Borsellino. L'intesa tra i due era formidabile quanto l'affetto e la stima che li legava. Si conoscevano da bambini, essendo nati entrambi nello storico quartiere della Kalsa. Erano diversi, ma si completavano a vicenda. Paolo aveva un carattere aperto e cordiale che lo portava a instaurare con facilità rapporti umani, nei quali riversava sempre la sua schiettezza. Giovanni era timido, sembrava frapponesse qualcosa tra sé e gli altri. Non posso dire che fosse introverso, ma era istintivamente portato a celare i suoi sentimenti dietro il riparo della discrezione.

Si erano ritrovati da poco. Giovanni era stato lontano da Palermo per molti anni. Pretore a Lentini, prima, giudice a Trapani, dopo. Anche Paolo aveva cominciato la carriera facendo il pretore, a Monreale però, e cioè a un passo da Palermo.

Era («era», quanto vorrei scrivere «è») un uomo di una ironia imbarazzante e dissacrante. Riusciva a sdrammatizzare tutto con una naturalezza assoluta. La battuta era sempre in agguato, anche durante il più pesante dei discorsi o il più difficile dei momenti. E ne vivemmo tanti assieme. Era molto veloce nel capire, nel formarsi un'opinione, nel partorire un'idea. Aveva ritmo e non soffriva pause. Era anche molto preparato e professionale, ma non gliene importava niente di darlo a vedere. Come tutti quelli che sanno di non averne bisogno. Era capace di scherzare anche sulla più complicata delle questioni che aveva risolto, magari con grande fatica. Te la offriva con semplicità. Non voleva stupire nessuno. Prendeva per i fondelli pure se stesso. Eravamo caratterialmente molto simili.

Indimenticabile la vicenda di *u siddiatu* (in italiano: l'incazzato). *U siddiatu* era il soprannome di un imputato che doveva rispondere di gravi reati di mafia. Era raggiunto da prove robuste, ma non si sapeva bene chi fosse. Oltre al soprannome, si conosceva anche il cognome, che era però molto comune a Palermo, quindi poco significativo ai fini dell'identificazione. In una delle nostre riunioni periodiche per fare il punto sulle varie istruttorie in corso, Paolo ci espose il problema, la cui soluzione aveva già delegato alla polizia giudiziaria, inviando la abituale «nota avente a oggetto: richiesta di compiuta identificazione». In un successivo incontro, ci aggiornò: la polizia giudiziaria aveva identificato *u siddiatu*. Gli atti erano stati trasmessi alla procura, il mandato di cattura era stato emesso e, quel che più conta, eseguito. Raccontò Borsellino: «Vado subito all'Ucciardone a interrogarlo e, in effetti, mi sembra veramente *siddiatu*. E, invece, dalle contestazioni scopro che l'identificazione era sbagliata. Non era lui. Evidentemente era *siddiatu* perché alle cinque del mattino si era visto piombare a casa i poliziotti che l'avevano ammanettato e portato in carcere. In questi casi uno s'incazza, non c'è dubbio, ecco perché mi sembrò *siddiatu*. Comunque l'ho scarcerato subito e ho chiesto un'individuazione più attenta». Risate corali e fine della prima puntata. Per quanto incredibile possa sembrare, ci fu una seconda e poi addirittura una terza puntata. *U siddiatu* non era mai quello giusto. Paolo non poteva più partecipare a una riunione senza che qualcuno gli chiedesse: «Com'è finita con *u siddiatu*?». «È finita che ora *siddiatu* sugnu io. Siete contenti?»

Un giorno arrivò trionfante. «*U siddiatu* è incastrato. Questo era veramente incazzato. Niente a che fare con gli altri. Se già non avessero provveduto, quel soprannome glielo avrei dato io. Questa volta è lui. Non ci sono dubbi.» Ed era lui, finalmente.

Era impossibile non volere bene a Paolo Borsellino, non apprezzarlo, non ammirarlo. La sua vita era quella di un uomo semplice, serio e responsabile, tutto casa, famiglia e lavoro. Era un fervente cattolico e aveva un preciso credo politico sin dai tempi dell'università, che lo videro militare nel Fuan. Era un uomo di destra, intriso – come si usava allora da quelle parti – di valori forti e di un alto senso dello Stato. Non si lasciò, però, mai condizionare dalle sue idee quando si trattava di decidere la sorte di un imputato. Il suo amore per la giustizia era più forte di tutto. È sufficiente una sola parola per descriverlo: un esempio.

La mafia, intanto, continuava imperterrita a seminare morte, e non solo al suo interno. Il 14 novembre 1982, alle ventuno, l'agente di polizia Calogero Zucchetto, appena ventisettenne, stava uscendo dal centralissimo bar Collica. Cinque colpi di calibro 38 gli comunicarono che quella sera aveva mangiato l'ultimo panino e bevuto l'ultima birra della sua breve vita. Era un bel ragazzo, vivace e intelligente. Aveva fatto parte della prima rudimentale scorta di Falcone. Lo conoscevo e lo ricordo: sorridente con due profondi occhi neri che sprizzavano lampi di luce. Poi era passato a un incarico difficile e delicato: assieme ai commissari Beppe Montana e Ninni Cassarà dava la caccia ai latitanti. E qualcuno era riuscito pure a scovarlo. Gli amici dell'ultimo non gradirono.

Non c'era tregua. Ma quanto più avvertivamo che non ce n'era tanto più sentivamo che la posizione andava tenuta, oggi, e magari avanzata, domani. Non ne parlavamo, non ce n'era bisogno. Era chiaro.

La relazione del procuratore generale Ugo Viola, in occasione dell'inaugurazione dell'anno giudiziario 1983, consacrò questo stato d'animo. Risultò a dir poco impietosa. Rompeva con il tradizionale, infastidito imbarazzo dei suoi predecessori di fronte alla questione mafia. Ne parlò esplicitamente, analizzando uno per uno gli omicidi dei tanti servitori dello Stato.

Fu anche un vero e proprio atto d'accusa, misurato ma preciso, nei confronti della classe politica. Quella siciliana in particolare. Alcuni esponenti di quella classe, presenti alla cerimonia, definirono la relazione «eccessiva» o addirittura «indelicata», data la solennità dell'occasione. Però li vidi uscire di fretta come nelle fughe, con la coda in mezzo alle gambe. Che pena!

Quella relazione sobria e severa voleva chiudere un'epoca e si prefiggeva di collocare, finalmente, il Palazzo di giustizia fuori dalla tendenziale omologazione al sistema di potere. Quest'ultimo, anzi, veniva chiamato a un ripensamento, tardivo certo, ma ancora possibile. Ma chi è sordo i richiami non li ascolta.

Pochi giorni dopo, nella notte tra il 25 e il 26 gennaio, a Trapani, un gruppo di killer scaricò le sue armi su Gian Giacomo Ciaccio Montalto, un bravo magistrato che da molti anni svolgeva indagini sui traffici d'armi e droga della mafia trapanese. Non l'avevo mai incontrato. Giovanni, che invece gli era amico, ne fu molto addolorato. Me ne parlò a lungo, anche per spiegarmi che l'avevano fatto fuori «perché era solo». Ripensai alla famosa intervista rilasciata a Giorgio Bocca dal generale Dalla Chiesa nell'agosto 1982, «la mafia uccide quando si verifica una sorta di combinazione fatale, sei diventato pericoloso, ma sei isolato». Anni dopo il concetto sarà ribadito da Falcone. Ma non servirà.

Intanto importanti novità si profilarono in quei giorni al mio orizzonte. Una mattina fui convocato dal capo, come spesso accadeva. Vincenzo Pajno seguiva con molta attenzione e diligenza il lavoro dei suoi sostituti. Studiava i processi più delicati e amava confrontarsi con noi. Con grande garbo ci regalava i frutti della sua vasta esperienza professionale. Aveva, al tempo stesso, un sincero rispetto della nostra autonomia e teneva molto che la si percepisse all'esterno.

Era normale, per esempio, che un procuratore, nell'assegnare un fascicolo ritenuto di un qualche interesse, annotasse sulla copertina la parola «conferire», che voleva dire più o meno «non fare nulla senza il mio preventivo avallo». Nessuno aveva mai dato importanza al fatto che quel «conferire» rimaneva per sempre annotato. Per cui, chiunque avesse consultato il fascicolo nelle fasi successive avrebbe saputo che il sostituto non era stato lasciato libero di prendere iniziative. Che le aveva dovute prima concordare con il capo. Pajno non scrisse mai «conferire». Lo sostituì con un «parliamone», scritto, per di più, a matita. Appena finiva il colloquio che aveva richiesto, con una gomma cancellava quella annotazione. Il sostituto agli occhi di tutti avrebbe agito in piena autonomia. Può sembrare una sottigliezza, ma non lo era. È uno di quei casi in cui la forma diventa sostanza. Era anche un modo per farci sentire «rispettati» nel nostro ruolo.

L'incontro di quella mattina non era di routine. Pajno venne presto al dunque: «Hanno fissato i dibattimenti di due processi che impegnano molto l'ufficio, sia pure per ragioni diverse. Uno riguarda la scoperta delle "raffinerie" di droga. Gli imputati sono numerosi, ci sono anche tre francesi. La difesa sarà molto agguerrita. Durerà mesi. È stato affidato a un'ottima sezione del tribunale, la terza, ma ci vuole un pubblico ministero all'altezza. Le voci dei tuoi successi in udienza mi giungono sempre più insistenti, ho pensato, perciò, di mandare proprio te a sostenere l'accusa. D'accordo?».

«D'accordo» risposi.

«L'altro riguarda l'omicidio dell'albergatore Jannì, avvenuto proprio a seguito dell'operazione di polizia che portò all'individuazione delle "raffinerie". È un processo difficile. Si basa tutto sulla "prova logica" e tu sai che significa. A conclusione della fase istruttoria il nostro ufficio aveva chiesto il proscioglimento dei due imputati. Il giudice istruttore, però, non ha accolto la nostra richiesta e ne ha disposto, invece, il rinvio a giudizio. Il processo si deve fare. Se ne occuperà la prima Corte d'assise. Conosci sia il presidente che il giudice a latere. Tutti e due sono una garanzia. Vorrei che te ne occupassi tu. Qui ci sono le carte. Studiatele e decidi in assoluta libertà la tua linea. Non ti sentire in alcun modo condizionato dalla precedente richiesta. Qualunque sarà la tua scelta, ti dico sin d'ora che sarò d'accordo.»

L'indomani ebbe il mio assenso. Ne fu visibilmente compiaciuto. Era una bella rogna, non c'è dubbio. Non mi chiese quale sarebbe stata la mia condotta processuale. Né gliela comunicai, per la semplice ragione che non la conoscevo ancora nemmeno io. L'avrei decisa a seconda dell'andamento del processo. Nel salutarlo capii che non mi mancava più neanche un pezzetto della sua fiducia. Sperai di essere capace di ripagarlo. Ci riuscirò.

La storia era questa. Durante l'estate di un paio di anni prima, la polizia francese aveva comunicato a quella italiana che sarebbe presto arrivato a Palermo un marsigliese di nome Bousquet, noto per essere l'inventore di un nuovo efficientissimo procedimento chimico per la raffinazione della morfina-base. Il chimico sarebbe stato accompagnato da due assistenti.

La nostra polizia intercettò l'arrivo del terzetto e lo seguì sino all'albergo, non lontano dall'aeroporto, scelto per il loro soggiorno. Per non correre il rischio di perdere di vista qualcuno dei tre, occorreva tenerli sotto controllo ventiquattr'ore su ventiquattro. Con l'assenso del proprietario dell'albergo, Carmelo Jannì, furono inseriti tra il personale alcuni poliziotti che si improvvisarono camerieri. Gli infiltrati furono impegnati per parecchi giorni. Tutte le volte che i francesi lasciavano l'albergo, i «camerieri» avvertivano i colleghi perché potessero pedinarli senza soluzione di continuità. Quando l'individuazione dei locali dove Bousquet & C. erano soliti recarsi fu ritenuta sicura, venne disposta un'irruzione che diede un esito più che positivo: i due immobili ospitavano laboratori chimici per la produzione di eroina.

Un risultato storico. Era la prima volta che si acquisiva in modo inconfutabile la conferma che l'eroina, destinata ai mercati di mezzo mondo, era prodotta nel palermitano. Tutti i presenti, marsigliesi compresi, vennero arrestati.

Uno di questi era nientemeno che Gerlando Alberti, detto *u paccarè*, personaggio di consolidata e qualificata militanza mafiosa, che gestiva in prima persona quella delicata fase del business miliardario. Mentre i poliziotti procedevano agli arresti, Alberti fu avvicinato dal Bousquet, che lo informò di aver riconosciuto, in alcuni degli agenti intervenuti, i camerieri dell'hotel che lo aveva ospitato. Ed era vero.

Alberti finì in carcere. L'indomani nel suo albergo Carmelo Jannì fu raggiunto da un uomo che, con il piombo della sua arma, gli ricordò che certe cose in Sicilia non è prudente farle.

Non occorre essere addetti ai lavori per capire che, sul decisivo piano della prova, il processo per l'omicidio Jannì, del quale era stato chiamato a rispondere l'Alberti assieme al cognato, era veramente complesso. Quello delle raffinerie, invece, era impegnativo e di gran rilievo, ma lì il problema più serio l'avevano indubbiamente i difensori. Per quanto mi riguardava le prove non mancavano, bisognava soltanto saperle giocare bene. Si trattava, comunque, dei due processi più significativi del momento.

La mia designazione non passò inosservata, sia nell'ambiente degli avvocati sia in quello dei magistrati. Quelli del mio ufficio, non tutti per la verità, la presero male. Non c'era nulla di personale, ma ero pur sempre l'ultimo arrivato che veniva proiettato al centro della scena, scavalcando colleghi molto più anziani. Non era mai accaduto. Si tennero addirittura riunioni nella stanza di uno che, peraltro, era un notorio «perditempo», ma che era ritenuto un teorico, un autorevole depositario del verbo correntizio di governo della magistratura. Intelligente lo era, contorto nel pensiero pure. Nessuno pensò di affrontarmi direttamente. So che ci provarono con Pajno. Debbo ritenere che, seppure con garbo, li mandò a quel paese. Per un verso ero dispiaciuto, ma per l'altro decisi che non me ne doveva importare più di tanto.

Lo stesso non posso dire a proposito di un'altra novità che, di lì a pochi giorni, irruppe nella mia vita.

Ero appena tornato a casa dopo avere accompagnato i bambini a scuola. Stavo dando un'occhiata al giornale prima di andare in ufficio, quando suonò il citofono. Andai a rispondere e sentii una voce, per me del tutto nuova. «Dottore buongiorno, noi siamo qua.» Capii al volo, anche se nessuno mi aveva informato. «Grazie, arrivo subito.» Era la scorta.

Mentre scendevo le scale, passai in rapida rassegna alcune delle cose che non avrei più potuto fare, chissà per quanto tempo. Ma confesso che pensai subito a quelle che avrei comunque continuato a fare. Non mi sentivo pronto a tollerare tante rinunzie in un sol colpo. In portineria trovai un bel ragazzone alto e robusto con la sua Beretta d'ordinanza in mano. Mi salutò con un bel sorriso e mi accompagnò verso un'Alfetta blindata parcheggiata davanti al portone, alla cui guida riconobbi uno degli autisti della procura. Mi fece sedere dietro e, sgommando, partimmo in direzione dell'ufficio.

Durante il tragitto mi furono spiegate le modalità del servizio: ogni mattina li avrei trovati sotto casa per accompagnarmi in ufficio; li avrei ritrovati, poi, ai piedi del Palazzo di giustizia per il tragitto di ritorno; nel pomeriggio, qualora avessi avuto bisogno di uscire, avrei dovuto telefonare all'ufficio scorte e loro sarebbero arrivati al più presto. Non trattenni un sospiro di sollievo. La novità non mi piaceva affatto, ma non si presentava asfissiante. Qualche margine di libertà me lo sarei potuto consentire. «Meno male» pensai. Non sarebbe durata per molto in quel modo, ma io ancora non lo sapevo.

Nell'androne del Palazzo mi imbattei in Rocco Chinnici, il

quale, come era solito fare, mi strinse il braccio con la sua manona e mi condusse in direzione della sua stanza. «Ti volevo dire che ho appena visto Vincenzo e mi sono congratulato con lui per la scelta che ha fatto a proposito dei processi Alberti. Sono molto curioso di vedere come va a finire quello per l'omicido dell'albergatore. Sai, è veramente borderline, ma in tutta coscienza non me la sono sentita di accogliere la richiesta di proscioglimento del tuo ufficio.» Lo ringraziai e gli comunicai che ero molto curioso anch'io, anche se non sapevo ancora se avrei chiesto la condanna o l'assoluzione. Sorrise e aggiunse: «Eh, ma tu animale da dibattimento sei! Prima fiuterai che aria tira dalle parti della Corte e dopo scioglierai il nodo». «Of course» risposi.

Lo informai che, proprio quella mattina, si era abbattuta su di me la mazzata della scorta. Mi confidò, senza entrare nei dettagli, che lo sapeva già da qualche giorno e che la riteneva una misura opportuna. La mia «esposizione» era ormai tale da imporre l'adozione di una qualche cautela. Aggiunse: «Siccome ti conosco, e bene, ti dico una sola cosa: rassegnati. E non fare cazzate».

Mentre aspettavo l'ascensore per raggiungere il mio ufficio, presi atto che il mio cervello aveva già elaborato il problema suggerendomi: «La scorta, in fondo, è come una nevrosi. Devi imparare a conviverci. Eliminarla non si può». Sarà una lunghissima convivenza.

Non tutto nel Palazzo filava per il verso giusto. Alla fine di marzo, la Corte d'assise mandò assolti i tre assassini del capitano Basile.

Erano stati beccati nelle campagne di Monreale, teatro dell'attentato, pochissimo tempo dopo il fatto. Si giustificarono adducendo che erano di ritorno da un incontro galante. Non si conobbe mai il nome delle fortunate. Un «uomo d'onore», si sa, gode ma tace. Anche a costo della galera. La loro fedeltà al codice d'onore fu premiata con una inaspettata insufficienza di prove. Una sentenza scandalosa che, per di più, mandava in fumo il paziente lavoro del giudice istruttore Paolo Borsellino.

I due processi Alberti partirono quasi in contemporanea. I

presidenti si mostrarono molto comprensivi e fissarono i loro calendari in modo tale da evitare sovrapposizioni di udienze. Qualcuna, malgrado la buona volontà, si verificò lo stesso. Doveva essere molto divertente vedermi svolazzare con la toga addosso tra il piano terra e il secondo piano, intento a tamponare in qualche modo l'inconveniente.

Il processo delle raffinerie si aprì alla grande: giornalisti, telecamere e folto pubblico. Lo schieramento dei difensori era numeroso e molto qualificato. Le eccezioni preliminari, per tentare di far saltare il processo, furono come sempre il primo cavallo di battaglia della difesa. Ascoltai con la dovuta attenzione le argomentazioni dei difensori rendendomi conto, a mano a mano, che salvo approfondimenti nessuna era fondata. Tranne una, forse. Quando venne il momento di esprimere il mio parere, chiesi al tribunale una pausa di almeno un'ora per articolare la mia replica. L'evidente dissenso manifestato dagli avvocati non impedì che la sospensione venisse concessa.

Andai a chiudermi nella mia stanza. Consultai codici commentati e riviste di giurisprudenza e trovai subito la conferma ai miei sospetti. Almeno tre, se non quattro, delle eccezioni sollevate erano, per dirla con Fantozzi, davvero delle «boiate pazzesche». Le altre erano superabili. Una, purtroppo, si confermava fondata e, sia pure per una questione meramente formale, rischiava di bloccare il processo. Bisognava inventarsi qualcosa per parare la botta.

Tornato in udienza, presi la parola partendo dalle «boiate pazzesche». La tirai per le lunghe apposta, adoperando toni sempre più irridenti mentre snocciolavo dotte argomentazioni dottrinarie e giurisprudenziali, che demolivano la fondatezza delle «boiate». Le quali in quel momento mi guardai bene dal definire tali. Quando mi sembrò di essere riuscito a creare una palude di autentico sarcasmo, con brevi e sintetici riferimenti, vi immersi le altre eccezioni, compresa quella fondata. Come avevo sperato, di lì a poco la vidi annegare. Dopo una breve camera di consiglio, il tribunale emise un'ordinanza con la quale lasciava la difesa a bocca asciutta. Il processo era salvo.

Nel corso delle numerosissime e tirate udienze, accaddero due episodi che non esito a definire gustosi.

Un giorno il presidente, uomo arguto e preparato, in piena udienza mi elargì una durissima «cazziata». Accettai il rimprovero in rispettoso silenzio, pur ritenendolo davvero fuori luogo.

Era prassi che avvocati e pubblico ministero si recassero in camera di consiglio per salutare il tribunale al termine dell'udienza. Quel giorno attesi pazientemente di rimanere solo con il presidente, per chiedergli, intanto, scusa, ma anche per capire come mai gli fossero saltati i nervi in modo così plateale. «Peppì, non ce lo nascondiamo. Non è anticipazione di giudizio. Qua fioccheranno condanne da fare tremare. Qualche soddisfazione ai difensori e agli imputati gliela devo pur dare, non ti pare? La "cazziata" al pm ci sta sempre bene. Riafferma la terzietà del giudice.» Ridemmo con complicità. «Sei un maestro» fu il mio saluto.

Arrivò il giorno della requisitoria. Parlai a braccio, come d'abitudine, per diverse ore. Notai una cosa davvero insolita, della quale mi compiacqui: il presidente teneva sulle ginocchia un blocco di appunti sul quale annotava i passaggi del mio discorso che riteneva più significativi. Così, almeno, sembrava. Dopo qualche giorno mi fu recapitato in ufficio un plico. Lo aprii incuriosito. Era la mia caricatura, elegantemente incorniciata e accompagnata da un biglietto: «Ecco i miei appunti. All'amico Peppino con affetto e stima. Carlo Ajello». «Che figlio di...» pensai e corsi a ringraziarlo.

Le condanne «da far tremare», comunque, arrivarono puntuali. Portavo a casa un bel risultato.

L'altro processo si svolse in un'atmosfera molto diversa. Riflessiva direi. Il tema centrale, in fin dei conti, era molto tecnico. Si trattava di condannare o meno, quali mandanti di un omicidio, due persone che, al momento del fatto, erano in galera già dal giorno prima. Con l'aggravante, per me, che la procura, al termine della fase istruttoria, aveva chiesto il proscioglimento. Per i difensori era proprio un bell'argomento.

Come aveva previsto Rocco Chinnici, cercavo di fiutare l'aria che tirava dalle parti della Corte. I segnali che mi pareva di cogliere erano, però, decisamente labili. Il giudice a latere era un magistrato davvero indipendente e intellettualmente vivace. Era – ed è ancora – mio amico, ma si rivelò una sfinge. Altrettanto fece il presidente, uomo di grande equilibrio e consumata saggezza, che continuava a presiedere malgrado sottoposto a periodiche sedute di dialisi. I sei giudici popolari erano attenti, si erano calati nel ruolo con molta consapevolezza. Mi era sembrato, in più di una circostanza, che, durante le inevitabili schermaglie tra accusa e difesa, tendessero a sposare più la mia tesi che quella dei miei avversari. Ma non bastava.

La sera prima della requisitoria optai, perciò, per una soluzione intermedia. Mollare tutto, cioè chiedere l'assoluzione dei due imputati, era escluso. Per me Alberti era colpevole. Puntare sull'en plein, cioè sulla condanna di entrambi, magari all'ergastolo, era molto azzardato. Rischiavo di rimanere a mani vuote. Per farla breve, conclusi la mia requisitoria chiedendo la condanna di Alberti, ma offrendo in cambio la richiesta di assoluzione dell'altro, che obiettivamente non era raggiunto da indizi sufficienti.

Sperimentai, in quella occasione, una tattica della quale mi sarei avvalso spesso in futuro. E sempre con buoni risultati.

Lo schema è semplice: le richieste di assoluzione del pm rafforzano quelle di condanna. Le rendono più credibili, specie in Assise, davanti ai giudici popolari. Ai quali va sempre ricordato, in simili occasioni, che il pm non è un accusatore. È un magistrato ben consapevole del travaglio della decisione e che, pertanto, sa bene quello che può chiedere alla Corte. La frase magica è: «Non vi chiederò nulla che non possiate darmi. Perché dovreste negarmelo?». Funzionerà più volte.

Alberti fu riconosciuto colpevole dell'omicidio e condannato a ventiquattro anni di reclusione. Il compromesso sulla pena era evidente, perché di ergastolo avrebbe dovuto trattarsi. Ma a me andò bene lo stesso. Pretendere di più sarebbe stato troppo.

La motivazione della sentenza fu scritta con raffinata abilità dal giudice «a latere», Pietro Sirena. Resse brillantemente i successivi gradi di giudizio e divenne definitiva. Avevo di che essere soddisfatto. E lo ero molto.

Pajno lo fu di più. Dopo il caso Spinoni, per la seconda volta avevo raddrizzato l'immagine dell'ufficio e premiato, con i risultati, la sua scelta.

L'uomo era di poche parole. Mi mandò a chiamare per dirmi: «Non amo giocare ai cavalli. Ma dovendo puntare ho scelto quello giusto, il vincente. Bravo!». «Mi piacerebbe regalarle un bel nitrito. Ma non lo so fare. Gradisca il pensiero.» Sorrise, lasciò la scrivania, mi invitò a sedere sul divano accanto a lui e volle saperne di più.

Mentre ascoltava il mio racconto, il suono di un campanello lo distrasse. Mi chiese di avere la pazienza di aspettarlo, si alzò e si diresse verso il piccolo ascensore che collegava direttamente la sua anticamera con quella dell'ufficio di Rocco Chinnici. Dopo non più di cinque, sei minuti fece ritorno in compagnia proprio di Rocco. Il suo abbraccio mise a dura prova la mia cassa toracica e quello che doveva essere un affettuoso buffetto tinse di rosa la mia guancia per almeno mezz'ora. Pajno, divertito, ripeté la storia del cavallo. «Un purosangue abbiamo» esclamò Rocco e ci lasciò soli.

E il campanello che aveva suonato? «Vedi, uno identico sta sulla scrivania di Rocco. Quando uno dei due decide di andare a trovare l'altro, lo preavverte facendolo squillare. L'incontro avviene in ascensore. Saliamo e scendiamo quante volte è necessario per dirci quello che ci dobbiamo dire e poi ognuno torna nella sua stanza. Rocco lo faceva già con Costa.» «Ingegnoso» commentai. «E soprattutto sicuro. Quattro orecchie è il numero massimo consentito quando si tratta di riservatezza vera» concluse Pajno lanciandomi un'occhiata furba.

Il 18 maggio festeggiai il mio compleanno assieme a Falcone che, a sua volta, festeggiava il suo. Eravamo nati lo stesso giorno dello stesso mese: lui nel '39, io nel '45. Era la seconda volta. Riusciremo ad arrivare a undici. Alla dodicesima lui non c'era.

Sul finire di giugno decidemmo che ci voleva qualche giorno di riposo. Scegliemmo Vulcano. Assieme alle mogli e al generale della guardia di finanza Pizzuti prendemmo alloggio in un comodo albergo. Il soggiorno fu molto piacevole. Il pomeriggio lavoravamo alla preparazione di alcune importanti commissioni rogatorie internazionali che ci attendevano a breve. Ma il mare la fece da assoluto protagonista. Mia moglie ne fu felice fino a un certo punto. La distrasse molto il tentativo di insegnare a nuotare a Francesca. Una palermitana «doc» che non sapeva nuotare era veramente una rarità. Invece le nuotate di Giovanni erano letteralmente chilometriche. Gli facevo compagnia per un tratto, poi salivo sul nostro motoscafo «d'appoggio» e mi intrattenevo con il generale e gli uomini della scorta.

Le lezioni di nuoto di Francesca si svolgevano nella piscina dell'hotel. Al ritorno dal mare, Giovanni sperava di verificare qualche progresso. Niente da fare, l'allieva non progrediva, malgrado l'assiduo impegno della maestra. Alla fine lui si arrese: «Si vede che in famiglia un acquatico basta e avanza».

Il ritorno a Palermo fu bruscamente anticipato. Tranquilli non si riusciva a stare.

Era arrivata un'allarmante notizia da non sottovalutare. Un poliedrico ed equivoco personaggio, il libanese Bou Chebel Ghassan, che intratteneva rapporti con alcune cosche mafiose ma anche con apparati della polizia e dei servizi segreti, anticipò la notizia che era in preparazione un clamoroso attentato, indicando nell'alto commissario De Francesco e in Giovanni Falcone i probabili destinatari. Le loro scorte furono subito rafforzate. La permanenza nell'isola fu giustamente ritenuta sconsigliabile. La segnalazione di Ghassan si rivelò fondata. Ma non precisa.

V
Diventare grandi

La mattina del 29 luglio, alle otto, un sicario premette il pulsante di un telecomando che fece esplodere una Fiat 500, stracolma di esplosivo. In quell'istante Rocco Chinnici, uscito dal portone del suo palazzo, si apprestava a salire in macchina per recarsi in ufficio.

Via Pipitone Federico si trasformò in uno scenario di guerra. Insieme a lui morirono dilaniati due carabinieri della scorta, Mario Trapassi e Edoardo Bartolotta, e il povero portiere dello stabile, Stefano Lisacchi. Si salvò per miracolo l'autista, Giovanni Paparcuri, che non era sceso dall'auto blindata. I feriti furono una ventina. Le vedove quattro, gli orfani dodici.

La potenza dell'esplosione si manifestò con un boato che fu percepito da mezza città. Qualcuno pensò a un terremoto. Alcuni testimoni oculari riferirono di aver visto volare automobili sino all'altezza del secondo piano. Palermo precipitava di nuovo nel terrore. La città era attonita. Non tutta, però. Dovette intervenire personalmente Vincenzo Pajno per bloccare, almeno per quel giorno, la festa del patrono del quartiere popolare del Capo, alle spalle del Palazzo di giustizia.

Appresi la notizia dalla scorta, pochi minuti dopo, quando anch'io uscii di casa per recarmi in ufficio. Non andai sul posto. Non volevo vedere. Il tragitto verso il tribunale mi diede la sensazione dell'attraversamento di un tunnel. Non percepivo immagini, non sentivo rumori, piangevo. Di dolore e di rabbia. Andai subito a chiudermi nella mia stanza, accesi la lucetta rossa «occupato» e rimasi solo per almeno un'ora, aspettando di riprendere il pieno controllo dei nervi. Sentivo le pulsazioni del mio cuore attraverso la testa, le braccia, le gambe. Il cervello si era fermato. Si sarebbe rimesso in moto solo dopo il primo bagliore di lucidità. Dovetti aspettare un bel po'. Il telefono squillò più volte. Non risposi, come se non ci fossi. E in effetti non c'ero, non riuscivo a connettere.

La stanza di Pajno era deserta. Non era ancora tornato. Rimasi ad aspettarlo, guardando dalla finestra verso la grande piazza Vittorio Emanuele Orlando, sin quando una mano prese la mia, che tenevo appoggiata al fianco. Ci abbracciammo e ci scambiammo uno sguardo, appena prima del sopraggiungere di un andirivieni di persone che la notizia del suo arrivo riversò nell'ufficio. C'erano colleghi, segretari, uscieri. C'era chi aveva voglia di parlare e chi di ascoltare. Pajno fu costretto a fare l'uno e l'altro. Era lui, in quel drammatico momento, il punto di riferimento. Roteando l'indice gli feci segno che ci saremmo rivisti più tardi e me ne andai.

Trovai all'ufficio istruzione una situazione comprensibilmente simile. Mi venne incontro Peppino Di Lello. Ci appartammo in un angolo del corridoio. La sua lucidità mi contagiò. Abbozzamo un'analisi, ma fu inevitabile il cedimento al ricordo di Rocco. Ognuno di noi aveva il suo episodio da raccontare. Si aggiunsero altri colleghi, Leonardo Guarnotta e Giovanni Barrile, e poi altri ancora.

Eravamo tutti uomini fatti, ma sembravamo bambini sperduti. Ci avevano scippati della nostra guida, ora dovevamo imparare a diventare grandi, al più presto e da soli. Bambini sì, ma con i coglioni al posto giusto, pensai. E vaffanculo.

Me ne tornai a casa. La cosa più normale della vita diventava quel giorno un problema. «Risolveremo anche questo» mi dissi. Ora mi sentivo di nuovo forte. Vittoria e Carla non chiesero nulla. Paolo, che già aveva quasi dodici anni, volle sapere. «Ti ricordi di Costa, tre anni fa?» gli chiesi. Si ricordava. «I mafiosi hanno ucciso un altro magistrato molto importante.» Io non ero importante, ero ancora un giovane magistrato, era questo il messaggio che sperai potesse distogliere la mente di mio figlio dal peggiore dei pensieri. Inutile dire quale. Reagì bene e passò a chiedermi della mafia, del perché uccideva e di quando e come tutto questo sarebbe finito.

Mia moglie aveva ascoltato seduta sulla poltrona accanto. Quando avevo sottolineato «magistrato molto importante», il suo sguardo si era come dilatato in un cenno di approvazione per me e di tenera protezione per Paolo. Arrivarono le figlie e ci sedemmo a tavola. Paolo cambiò subito argomento. Era cresciuto e da buon siciliano non voleva che davanti ai fimmini si parlasse di certe cose. Discorsi tra uomini erano. Carezzai più del solito Arcibaldo, il nostro amatissimo boxer, al quale, di comune accordo, riservavo il posto accanto a me.

A fine pasto, come ogni giorno, annunciai: «Coprifuoco!». Papà andava a riposare e ci voleva silenzio. La cosa divertiva i miei figli, sbuffavano un po' e si andavano a chiudere nelle loro camere, sufficientemente lontane dalla mia. Non arrivai ad appisolarmi, ma mi sentii molto rinfrancato da come era andata con loro. Con mia moglie avrei parlato la sera a quattr'occhi. Lo sguardo che mi aveva lanciato al momento del «molto importante» mi imponeva di inventarmene un'altra. Era chiaro che con lei quella frase non avrebbe funzionato. Ma la sera era ancora lontana. C'era il pomeriggio da affrontare.

Lo trascorsi tutto al Palazzo di giustizia. Eravamo in tanti. Ci aggiravamo come automi. C'era chi parlava di come era ridotta via Pipitone Federico, chi degli effetti mortali dell'onda d'urto, peggiori di quelli delle schegge infuocate che avevano segnato i corpi delle vittime. C'era chi diceva cazzate e chi glielo faceva notare. Mi ritrovai, a un certo punto, nella stanza di Paolo Borsellino. Giovanni era seduto dietro la scrivania e parlava al telefono. Erano telefonate formali: «Certo, generale» oppure «Grazie, eccellenza». Quando terminò l'ultima, si alzò per non incappare nella successiva. Paolo l'aveva fatto prima.

Eravamo in pochi, sostituti procuratori e giudici istruttori, e cercavamo di trovare il modo di esorcizzare due cose: il dolore e la paura che ci accomunavano, tutti. Lo facevamo girando attorno al problema. Chi aveva notizie della famiglia Chinnici? Quando saremmo andati a casa di Rocco a far visita alla vedova e ai tre figli? E i funerali erano stati già fissati? Chi si stava occupando degli annunzi funebri sui giornali? I colleghi di Caltanissetta, titolari dell'indagine, dov'erano, che avevano fatto, con chi avevano parlato? C'era qualcuno che li assisteva? Funzionava. Ci distraeva.

Guardavamo il dito per non vedere la luna, ma era proprio quello che ci voleva. La luna era preferibile non vederla. Era orrenda quella sera. Meglio tornare a casa, a continuare a guardare il dito magari. Ma lì sarebbe stato più difficile.

Per me non lo fu. Me l'aspettavo, perché conosco Pinì come le mie tasche e so che nei momenti difficili sa dare il meglio di se stessa. Lei non fu un problema da affrontare. Capì che non volevo guardare altro che il dito e, parlando il meno possibile, finse di farlo anche lei. Il nostro amore si stava consumando, senza colpe e senza ragioni. Ma la nostra intesa era un'altra cosa, tanto che dura ancora e non dà alcun segno di stanchezza. Il fatto che siamo genitori degli stessi figli non è secondario, per niente, ma non spiega tutto. L'affetto quando è veramente profondo è un legame molto forte. Meno dell'amore, ma con maggiore garanzia di durata. Almeno nel nostro caso.

L'indomani mi recai a casa di Rocco. Il dolore dei figli e della moglie mi colpì per la grande dignità e compostezza che lo contenevano. Il ricordo che ne conservo è tutto nel sorriso sereno e dolente dipinto sul volto della signora Chinnici.

I funerali di Stato sono tutti simili, ma non uguali. Si percepisce un'atmosfera, un modo di esserci e di sentire che non è necessariamente sempre lo stesso. Quel giorno la rabbia e l'indignazione mi sembrarono soffocati dalla stanchezza. Brutto segno, perché somiglia alla rassegnazione.

Il cerimoniale era come al solito dipinto di blu, il colore delle auto dei ministri, dei sottosegretari, delle autorità civili, di quelle militari e dei doppiopetto. Se ne coglieva la liturgica ripetitività e nient'altro. Il cardinale Pappalardo non seppe, o non volle, trovare un'altra frase a effetto che, assieme alla denuncia, coinvolgesse la speranza e l'incoraggiasse. Mi sembrò blu anche lui.

La mia mente si consegnò al pensiero più cinico della mia

vita. Lo fu tanto che non credevo, sino ad allora, di esserne capace. «I funerali di Stato sono destinati a diventare sempre più una sorta di appuntamento periodico. Un'occasione come un'altra per mostrarsi e per rivedersi» dissi a me stesso. «L'importante sarà riuscire a occupare sempre il posto giusto. Vanno bene tutti, tranne uno: quello in orizzontale davanti all'altare.» Cinico, ma lucido.

Mentre passava il presidente Pertini, una voce, tra la folla, gridò: «Siamo stanchi!». Qualcuno gli sentì dire: «Anch'io». Non era il solo.

Nei giorni successivi parlai più volte con Pajno e con gli altri colleghi della procura. La morte era entrata per la seconda volta a gamba tesa nel Palazzo. Ne eravamo ben consapevoli e ancora di più provati. Nessuno, però, mostrava segni di cedimento, di rinunzia. Non si vedevano spugne da gettare. Ognuno portava il suo contributo di fermezza e, grazie a quello degli altri, trovava anche la parte che magari aveva bisogno di ricevere. Era circolare lo scambio, come quello della paura. La imbrigliava, anche se non la cancellava, ma le impediva di trasformarsi in angoscia. Funzionava.

Con Giovanni non interrompemmo l'abitudine di vederci ogni giorno. Paolo era quasi sempre con lui. L'ironia si era dissolta, e non era un male. Le cose che ci dicevamo erano più dirette, perché liberate dalla mediazione della battuta, che era la nostra vera ossessione. Il dolore e la paura avevano partorito un sodalizio che non era solo professionale e ideale. Era umano e personale. E definitivo.

L'estate passò veloce. Mi fermai in campagna più a lungo. La mattina in piscina con i figli. Le ore più calde, quelle del primo pomeriggio, sconsigliavano di mettere il naso fuori di casa. Il «coprifuoco» era perciò giornaliero e più duraturo. All'imbrunire li portavo a giocare con gli agnellini o a fare una passeggiata a cavallo. Fu una terapia rilassante e rigenerante. Con loro sono sempre stato bene.

L'autunno mi riportò al lavoro. Col passare delle settimane montava l'attesa per la nomina del nuovo capo dell'ufficio istruzione. Il Csm scrisse una pagina di rara compattezza e tempestività: per una volta furono accantonate le logiche spartitorie e Antonino Caponnetto fu rapidamente designato a succedere al povero Rocco Chinnici.

La comunicazione ci giunse per telefono, mentre eravamo in attesa nella stanza di Borsellino. Il nome di Caponnetto girava già da qualche giorno, ma sapevamo ben poco di lui. Falcone alzò l'ingegno: «Viene da Firenze. Ora chiamo Piero Vigna e vediamo che ci dice». Capimmo poco del colloquio che fu, peraltro, molto breve. Giovanni posò il telefono e ci comunicò: «Sapete che mi ha detto? È stato il maestro di tutti noi. Di meglio non poteva capitarvi». «Minchia!» fu il commento a caldo che non volli proprio trattenere. Il suo arrivo a Palermo era previsto a breve, novembre al massimo.

L'ostilità nei confronti di Falcone intanto cresceva, dentro e fuori il Palazzo. Lo definivano, maliziosamente, «giudice sceriffo» o «giudice planetario» perché, con la scusa delle rogatorie, stava girando il mondo a spese dello Stato. «Turismo giudiziario» lo etichettarono. Il quotidiano locale e «Il Giornale» di Milano si davano carico di amplificare il pettegolezzo.

Siccome partivamo quasi sempre insieme, di quelle rogatorie ne so qualcosa. Furono, in effetti, moltissime e tutte – dico tutte – di un'utilità eccezionale, che determinò un'evoluzione decisiva del lavoro istruttorio. Sarebbe interessante cimentarsi nel calcolo di quanti pericolosi delinquenti l'avrebbero fatta franca se non fossero stati raggiunti dalle prove, in molti casi schiaccianti, raccolte proprio grazie a quelle rogatorie. Ne verrebbe fuori un numero a più cifre.

C'è innanzitutto da dire che, salvo talune encomiabili eccezioni, la prassi giudiziaria faceva di solito viaggiare i documenti. I giudici erano stanziali. L'impostazione era di tipo burocratico, al solito, e il tutto si risolveva in meri adempimenti formali da entrambe le parti. Era questa l'applicazione corrente della cooperazione giudiziaria internazionale.

A Palermo si ricordava un solo caso, lontano nel tempo, in cui un giudice istruttore si era recato negli Stati Uniti alla ricerca delle prove che gli servivano. Falcone rivoluzionò anche quella prassi. Niente più burocrazia: bisognava andare personalmente sul posto, stabilire rapporti, verificare gli elementi di cui si era già in possesso e cercarne di nuovi. Approfondire, capire, conquistare la fiducia degli interlocutori. La cooperazione andava liberata dalla specificità del singolo atto e aperta a ogni possibile sviluppo.

Il mondo tendeva a globalizzarsi, la criminalità organizzata pure. Come poteva chi doveva contrastarla pretendere di non uscire dal chiuso del suo ufficio? Quell'autentico suicidio giudiziario andava rimosso.

Un caso emblematico fu quello della famosa indagine «Pizza connection»: un grande traffico internazionale di eroina che si svolgeva con le seguenti modalità.

Alcune famiglie mafiose palermitane acquistavano in Medio Oriente la morfina base. La trasportavano, via mare o via terra, a Palermo dove la trasformavano, grazie alle raffinerie di cui disponevano, in eroina purissima. La droga veniva, quindi, spedita negli Usa e collocata su quel fiorente mercato.

Tutte le transazioni economiche riguardanti il traffico si svolgevano in Svizzera, per lo più a Lugano, dove confluivano i capitali lucrati. Soddisfatti i crediti dei fornitori della materia prima, sempre in Svizzera, il resto era profitto, che veniva investito in vari modi e in vari luoghi. La parte che rimaneva a Lugano era destinata all'ulteriore finanziamento del traffico.

I paesi coinvolti erano quattro: la Turchia, da cui proveniva la materia prima; l'Italia, sul cui territorio avveniva la trasformazione in prodotto finito; gli Usa, in quanto mercato di collocazione e vendita della merce; la Svizzera, sede di tutte le operazioni finanziarie connesse al business. Unità di misura del giro d'affari: il milione di dollari.

Se non ci fosse stato Falcone, di questo enorme traffico conosceremmo forse questo o quel pezzo, ma sicuramente non avremmo nemmeno idea della sua complessiva articolazione. Il che vorrebbe dire che non sarebbero mai finiti in carcere, a scontare pene superiori anche ai venti anni, i tanti galantuomini (una ventina circa) inventori di quel divertente giocattolo. La «Pizza connection» fu inserita nel maxiprocesso. Fu per me una passeggiata illustrare alla Corte gli elementi di prova che eravamo riusciti a mettere assieme grazie ai nostri viaggi e ottenere condanne esemplari.

Per farla breve, in America e in Svizzera diventammo di casa, tante furono le nostre trasferte. Rendemmo al contempo un servizio anche a quelle autorità giudiziarie che, grazie a noi, acquisirono le tessere del puzzle che ignoravano. In questi casi, infatti, la parte per il tutto non vale. La Turchia fu meno disponibile degli altri Paesi, ma alla fine ne potemmo fare a meno. Se avessero viaggiato solo i documenti, saremmo arrivati agli stessi clamorosi risultati? Nemmeno per idea!

Nel maggio 1983 un'altra commissione rogatoria internazionale ci portò a Il Cairo. Località turistica niente male, avranno pensato i nostri detrattori. Un'azione combinata delle polizie egiziana e greca aveva portato al sequestro di ben duecento chili di eroina, ospitati a bordo della nave *Alexandros G.*, bloccata mentre attraversava il canale di Suez. L'intero equipaggio era stato arrestato. Era finito in manette anche il cittadino italiano Fioravante Palestini, sorpreso a bordo. Tramite Interpol, la nostra polizia fu informata della vicenda. Ma chi era Palestini? Un abruzzese con qualche precedente penale, conosciuto per essere stato l'interprete di una nota pubblicità televisiva dei biscotti Plasmon. E che ci faceva sull'*Alexandros G.*?

La polizia approfondì gli accertamenti e scoprì che l'uomo, non molto tempo prima, era stato compagno di cella di Gaspare Mutolo, esponente della famiglia mafiosa di Partanna-Mondello, nei confronti del quale avevo già spiccato un ordine di cattura per traffico di stupefacenti. Guarda che coincidenza!

L'interrogatorio avvenne nel carcere de Il Cairo. Palestini era irriconoscibile rispetto all'immagine pubblicitaria che sia io che Giovanni ricordavamo perfettamente. Il suo fisico atletico e muscoloso aveva assunto le sembianze di una larva umana. Non fu disponibile a collaborare sino in fondo, ma non negò il suo rapporto con Mutolo, lasciando chiaramente intendere che la sua presenza sulla nave ne era la conseguenza. Confermò di essersi imbarcato sull'*Alexan-*

dros G. nel porto thailandese di Pukhet, raggiunto dall'Italia in aereo. La nave era salpata alla volta delle coste italiane, che avrebbe raggiunto se non fosse stata intercettata dalla polizia mentre attraversava lo stretto di Suez. Precisò che a Pukhet si era incontrato, come indicatogli prima della sua partenza, con un certo «Kin», organizzatore della spedizione del carico, sul quale avrebbe dovuto vigilare durante la navigazione. Questo, e solo questo, era il suo compito.

Ci raccontò delle condizioni di vita all'interno della prigione egiziana, che l'avevano ridotto in quello stato pietoso, e ci pregò di caldeggiare la sua estradizione in Italia. Ottenuta la quale, la sua collaborazione sarebbe stata piena e incondizionata.

Ci provammo senza riuscirci, in quanto il governo egiziano chiedeva in cambio l'estradizione di un suo cittadino, detenuto in Italia per reati commessi in territorio italiano. Scambio che il nostro governo, con ragione, non accordò.

Avevamo scoperto un altro grosso traffico di eroina, gestito dalla mafia, che seguiva un itinerario del tutto sconosciuto. Il trafficante che riforniva l'organizzazione criminale si chiamava Kin e operava in Thailandia, Paese da cui la droga proveniva. La quantità di eroina sequestrata segnalava che i personaggi coinvolti erano certamente di rango mafioso elevato. Lavoro ne rimaneva tanto. L'intuizione di partenza, in ogni caso, si era rivelata giusta.

La permanenza in Egitto fu, come al solito, breve. Riuscimmo, però, a vedere le piramidi e a fare una tappa di un giorno a Luxor.

Fu l'unica volta che, a nostre spese ovviamente, ci accompagnarono le mogli, le quali viaggiarono in turistica, mentre noi occupammo, avendone diritto, due comode poltrone in business class. Maschilismo siciliano? Il sospetto è legittimo.

Il volo di ritorno non fu dei più tranquilli. Una serie di turbolenze fecero ballare l'aereo a lungo. Superata la buriana, suggerii a Giovanni di andare a controllare lo stato d'animo delle nostre consorti. Le trovammo terrorizzate. Pinì sentì il bisogno di sfogarsi: «Mai più. Non verrò mai più!». Scherzava, ma fino a un certo punto. Francesca non parlò, ma solidarizzava. Nel tornare ai nostri posti, commentammo divertiti: «Nenti, sempri fimmini sunnu».

Non molto tempo dopo, sempre tramite Interpol, la nostra polizia ricevette comunicazione dell'arresto di quattro corrieri di droga, avvenuto nello stesso giorno in quattro aeroporti diversi: Londra, Parigi, Amsterdam e Francoforte. Provenivano tutti dalla Thailandia. Uno di questi, quello ammanettato a Parigi-Orly, era un pregiudicato romano, tale Francesco Gasperini, già compagno di cella di un mafioso. «Vuoi vedere...» ammiccò Giovanni non appena letto il rapporto che ci era stato trasmesso. «Visto com'è andata con la nave... hanno preferito l'aereo. Otto chili di eroina ciascuno... un bel traffico pure questo è. Non c'è che dire. Fosse lo stesso... Kin? Se scopriamo che c'entra Kin, è fatta!»

Attivate le commissioni rogatorie, partimmo per interrogare i corrieri detenuti a Londra, Amsterdam e Francoforte. Non ne venne fuori granché, ma in tutte e tre le occasioni rientrammo con un campione dell'eroina sequestrata.

Una perizia chimico-tossicologica confermò pienamente la nostra ipotesi. Tutti i campioni analizzati appartenevano alla stessa «partita». Erano identici. Il collegamento con l'*Alexandros G.* diventava più che un'ipotesi.

La rogatoria a Parigi completò il quadro. In considerazione degli sviluppi del caso, portammo con noi Ninni Cassarà, che aveva curato le indagini con l'abituale meticolosità. L'interrogatorio di Gasperini si svolse davanti al giudice istruttore del tribunale di Créteil, competente sul territorio di Orly.

Mentre Falcone lo interrogava, cercando di indurlo a collaborare, cominciai a esaminare il plico che conteneva quanto era stato sequestrato al momento dell'arresto. La mia attenzione fu sollecitata da un'agendina piena zeppa di numeri telefonici ai quali corrispondeva, quasi sempre, un nome femminile. Pensai si trattasse di una sorta di linguaggio cifrato, di uno stratagemma per impedire la riconducibilità di quei numeri agli effettivi titolari. Mi inserii nel colloquio per chiedere: «Senta Gasperini, questi numeri telefonici da lei annotati, di chi sono?». La risposta fece ridere anche il giudice francese: «No, niente dottò, questo è pelo!». «Tutti i numeri?» incalzai. «Quasi tutti dottò. Quello è pelo e basta.» «Complimenti Gasperini!» conclusi. Cassarà guadagnò rapidamente la porta, rideva troppo. Falcone si associò ai complimenti. Non fu male, perché quel momento di ilarità determinò nel nostro interlocutore una maggiore disponibilità ad aprirsi.

La vicenda di Gasperini risultò molto simile a quella di Palestini, a parte la diversità del mezzo di trasporto: anche lui, giunto in Thailandia, aveva contattato Kin, dal quale aveva ricevuto la droga che avrebbe dovuto importare in Italia. I corrieri venivano imbarcati su voli con destinazioni diverse per suddividere il rischio. Avrebbero poi raggiunto separatamente l'Italia via terra. Kin era l'intestatario di una sorta di casella postale: PO Box n. ...

Anche il campione di eroina consegnatoci dal giudice francese risultò identico agli altri già analizzati. Seguì una commissione rogatoria in Thailandia. Non fu difficile, attraverso il numero della casella postale, pervenire alla identificazione di Kin, Ko Bah Kin per l'anagrafe di quel Paese. Ko Bah Kin fu arrestato dalle autorità thailandesi ed estradato in Italia. Interrogato, fornì una serie di elementi che condussero nelle patrie galere i suoi correi mafiosi. Fine della storia. Un altro grande traffico di eroina era stato scoperto e azzerato.

Era questo il nostro «turismo giudiziario». Ed era l'unico a interessarci, malgrado la fatica, non solo fisica, che comportava. Mi ricordai del cancelliere Catania: non c'è dubbio che stavolta avrebbe avuto ragione. Lavoravo troppo.

Raccontai quell'episodio a Giovanni durante un volo Francoforte-Roma di qualche mese dopo. «Sei sicuro che parlava di te? Secondo me hai capito male» mi sfotté.

Si aprì così tra noi un divertente dibattito sul diverso rapporto che avevamo con il lavoro. Lo invitai, innanzitutto, a considerare quanto diversa fosse stata la nostra formazione in materia.

«Da quello che mi hai raccontato, tuo padre era uno che si

vantava di non avere mai bevuto un caffè al bar. La sua vita scorreva tra il laboratorio chimico di cui era direttore e la famiglia. Perfetto. Uno che ha avuto un esempio di questo tipo è normale che si comporti di conseguenza. Secondo me, tu sei addirittura andato oltre, ma questo non conta. Per farti capire la differenza, ti dico solo che io rappresento, con orgoglio non c'è dubbio, la prima generazione della mia famiglia che ha avuto a che fare con il lavoro. Sei intelligente e non ti devo dire altro. Giovanni, io miracoli faccio!»

«Mi vorresti dire, forse, che la tua vocazione naturale sarebbe quella di non fare un tubo, per cui io dovrei passare il tempo ad apprezzare estasiato il sacrificio al quale quotidianamente ti sottoponi?» osservò senza nascondere il suo sorrisetto sardonico. «Non pretendo tanto, anche se non ti nascondo che, se tu lo facessi, lo gradirei assai. Il punto è che quindici ore di lavoro al giorno sono per te una cosa assolutamente normale. Se invece, come sono costretto, io lo faccio dieci ore al dì, il dato non è normale. È straordinario, e tu lo devi apprezzare. Così mi rendi giustizia, non facendo in modo che quelle dieci ore diventino, che ne so, dodici o tredici! Un'ora del mio lavoro vale perlomeno due del tuo. Ma non ci pensi ai miei antenati che, increduli, si rivoltano nella tomba? Giovanni, io un fatto atavico evoco, cromosomico, oserei dire, e letterario pure. Che dice il *Gattopardo*? Il peccato che noi siciliani non perdoniamo mai è semplicemente quello di fare. Siamo peccatori, amico mio! Meno male che siamo tutti e due laici.»

Ci facemmo una bella risata. Poi, però, mi sussurrò in un orecchio: «Non hai tutti i torti, lo riconosco, ma non me ne può fottere meno!». Cambiammo argomento, ma ci eravamo divertiti prendendoci ancora una volta reciprocamente in giro. Nulla riusciva a coinvolgerci di più. Si fa per dire.

Riprendemmo il discorso quella stessa sera al ristorante. Il borghese di città era curioso. Voleva capire meglio la vita di un esponente del notabilato di provincia. Cominciai con una notazione volutamente destinata a eccitare il suo stupore: «Vedi, Giovanni, la scorta per me non è una novità. La prima mi fu imposta quando avevo undici anni». Gli raccontai che la mia famiglia, oltre a qualche palazzo e a un bel po' di campagne, possedeva una miniera di zolfo che dava lavoro a circa centoventi operai. La crisi dell'industria zolfifera siciliana scoppiò verso la metà degli anni Cinquanta, quando gli americani scoprirono un metodo di estrazione del minerale che abbassava enormemente i costi, ma che, per ragioni geologiche, non poté essere applicato in Sicilia. La nostra produzione rallentò subito. I minatori reagirono con una serie di scioperi e cortei che si concludevano puntualmente sotto l'avito palazzo, dove, oltre alle abitazioni di famiglia, si trovavano gli uffici dell'«Amministrazione eredi Ayala». Erano manifestazioni pacifiche, ma la presenza di qualche testa calda non poteva essere esclusa a priori. L'esasperazione provocata dal timore della disoccupazione era palpabile.

Venne, perciò, deciso che era meglio che non uscissi da solo. La mattina venivo accompagnato a scuola dal nostro autista, Angelo Cassaro, al cui fianco sedeva il fedele «factotum» di mio padre, Gino Amico. I due, a scuola finita, venivano a prendermi e mi riportavano a casa. Il pomeriggio invitavo i miei amici per fare i compiti e così rimanevo al sicuro tra le mura domestiche. Dopo una decina di giorni, calmatesi le acque, tornavo alla normalità che, però, perdevo di nuovo quando l'atmosfera ricominciava a scaldarsi. E così per quattro, cinque volte nell'arco di un anno. Subii quelle rinunzie senza fiatare, ma mi costò molto.

Non ero mai andato a scuola sino ad allora e avrei voluto vivere quell'esperienza nella massima libertà. Non avevo frequentato le elementari. La tradizione di un ristretto giro di famiglie, rimasto elitario soltanto perché refrattario a ogni cambiamento, prevedeva che i bambini, raggiunta l'età scolare, studiassero a casa con la maestra e l'istitutore per i primi cinque anni, per andare poi in collegio sino alla maturità. Al San Giuseppe De Merode di Roma o al Pennisi di Acireale.

Ero riuscito con fatica a farmi promettere dai miei l'esenzione dalla seconda fase. La prima non la scampai. La vissi bene, soprattutto perché la condivisi con mio cugino Pietro, che si dava il caso fosse anche il mio migliore amico. Sua sorella Maria Stella sostiene che siamo a tutti gli effetti fratelli e non ha torto. La memoria di quei tempi, però, le manca. Otto anni di collegio a Trinità dei Monti lei non riuscì a evitarli.

La libertà restava, comunque, la meta agognata. La conquistai definitivamente grazie al precipitare della crisi zolfifera, che condusse all'inesorabile chiusura della miniera. Fine delle restrizioni, pensai. Superfluo dire che fui il solo in famiglia a esserne contento.

I manifestanti erano stati capeggiati da un giovane sindacalista della Cgil di belle speranze, Emanuele Macaluso, al quale mi legherà un rapporto di stima e amicizia mai venuto meno. Nel suo bel libro, *Cinquant'anni nel Pci*, ha scritto che mia madre era «bellissima e corteggiatissima» e che a un certo punto sposò «un nobile decaduto». Vera la prima, inesatta la seconda. A parte la nobiltà, per mia fortuna era solo «decadendo». Il suo patrimonio non si dissolse, anche se il ridimensionamento fu rilevante, tanto da costringermi a trovare un lavoro.

L'industria dello zolfo fece sì che a Caltanissetta vivesse una consistente classe operaia che, insieme a quella dei braccianti agricoli, compose il terreno di coltura di una sinistra colta e combattiva. Emersero, così, pur nel sonnacchioso centro della Sicilia, alcune personalità politiche di autentico spessore. Oltre a Macaluso, come non ricordare il vulcanico Pompeo Colajanni, il comandante «Barbato» della Resistenza piemontese? Erano comunisti rispettati anche nell'ambiente di quelli che, dal loro punto di vista, erano i «nemici di classe».

Il primo per Emanuele Macaluso fu mio nonno, Giovanni Ayala. Una sera di qualche anno fa, a casa di comuni amici a Roma, manifestò ridacchiando un disagio: «Ma come potevo prevedere che un giorno sarei andato tanto d'accordo con il nipote? Non so cosa mi è successo». Lo tranquillizzai: «Emanuele, tu sempre lo stesso sei. Io sono diverso da mio nonno. Ecco perché ti ritrovi spesso in perfetta sintonia con uno che si chiama Ayala. Diciamo che, rispetto alle posizioni di allora, ci siamo venuti vicendevolmente incontro».

Era stata, in ogni caso, una lotta di classe che non aveva

travolto i rapporti personali. Pompeo Colajanni veniva saltuariamente a cena dai miei anche se, per ovvie ragioni, nella più assoluta riservatezza.

Un'altra inedita classe dirigente nacque a Caltanissetta e diede vita a un nuovo partito, la Democrazia cristiana. L'atto di nascita fu compilato nel dicembre 1943 in via Cavour 29, nello studio di Giuseppe Alessi, la cui lunga carriera politica inizierà con l'incarico di presidente della regione. Il primo.

Nei fatti il notabilato abdicava, vittima della sua ignavia. L'unica continuità con il nuovo se l'assicurò la mafia che, sin dai primi vagiti, pose quella creatura in fasce sotto la sua tutela.

Giovanni mi chiese di fargli capire meglio com'era possibile che nessuno dei miei avi avesse mai lavorato. Gli spiegai che non si trattava di una tara di famiglia, raccontandogli un divertente episodio vissuto quando avevo più o meno sedici anni.

Un giorno mio padre mi chiese di accompagnarlo a Falconara, località a metà strada tra Gela e Licata, nel castello sul mare di un suo vecchio amico che lo aveva invitato a pranzo. La conversazione tra i commensali, omogenei per anagrafe ed estrazione sociale, fu conclusa dal padrone di casa, il barone Gabriele Chiaramonte Bordonaro, il quale, rivolto proprio a mio padre esclamò: «Eh, caro Paolino, la verità è che il lavoro è un lusso che non tutti si possono permettere».

Avevano parlato di un loro comune amico, principe e ricco, il quale non solo si era laureato in ingegneria, ma aveva addirittura costituito una società poi andata malissimo. Il principe ci aveva rimesso un sacco di soldi. «Niente doveva fare e ricco sarebbe rimasto» fu l'unanime verdetto.

È proprio vero che la storia si ripete: il dopoguerra imponeva grandi cambiamenti, paragonabili, *mutatis mutandis*, a quelli determinati un secolo prima dall'avvento dell'unità d'Italia. Tornavano, così, d'attualità le riflessioni rassegnate dal principe di Salina all'ambasciatore piemontese Chevalley. Anche gli ospiti di Gabriele Bordonaro appartenevano a «una generazione disgraziata a cavallo fra i vecchi tempi ed i nuovi», che si trovava «a disagio in tutti e due» e, per di più, del tutto «priva di illusioni». Con l'aggravante di essere inguaribilmente affetta da «quel senso di superiorità che barbaglia in ogni occhio siciliano, che noi stessi chiamiamo fierezza, che, in realtà, è cecità». E per niente disposta a migliorare per la semplice ragione che si riteneva perfetta e, in quanto tale, del tutto indisponibile a misurarsi con fastidiose novità.

«Hai capito, Falcone, che tipo di esempi mi ha offerto l'adolescenza? L'ho vissuta come se il tempo si fosse fermato all'Ottocento. Parliamoci chiaro, è proprio vero che la necessità fa virtù. Se no, non sarei qui a rompermi la testa sulle nostre indagini.» «Ci credo soltanto perché me lo racconti tu. Un mondo di pazzi doveva essere il tuo» concluse. Ma sì, lo era proprio. Però è scomparso, pace all'anima sua!

VI
Gioco di squadra

Novembre, come previsto, ci portò Antonino Caponnetto. Lo vidi per la prima volta alla cerimonia del suo insediamento e non fu un bel vedere. Mi diede la sensazione di un uomo avanti negli anni, magrissimo, diafano, stanco e un po' spaesato. Se penso che aveva sessantatré anni, oggi, raggiunti i sessantadue, mi viene quasi voglia di correre allo specchio per rallegrarmi del mio aspetto, al confronto più che giovanile.

Lo sguardo, però, mi piacque. Comunicava tre cose importanti: intelligenza, serenità e tanta bontà d'animo. Il suo intervento fu asciutto, poche parole molto pacate. Era autorevole, questo era sicuro. Essenziale, ma nient'affatto sbrigativo. «Un uomo da scoprire» pensai.

Alla fine della riunione che tenne subito con i giudici del suo ufficio, incontrai alcuni di loro. Non mancarono parole di approvazione per l'esordio del nuovo capo. Aveva chiarito subito che era sua ferma intenzione confermare la linea inaugurata da Rocco Chinnici. Ma annunciò che sarebbe andato oltre, costituendo uno stabile gruppo di giudici istruttori destinato a occuparsi esclusivamente dei processi di mafia. Altro che riempire le loro scrivanie di «processetti», come aveva tentato di imporre al povero Rocco il vecchio procuratore generale!

Nasceva il «pool antimafia». Non era, a dire il vero, una novità. Caponnetto adattò alla diversa realtà il modello già sperimentato, con innegabile successo, in alcune sedi giudiziarie del Nord, durante gli anni delle indagini e dei processi a carico dei terroristi. Terrorismo e mafia sono due fenomeni che non hanno nulla in comune. Sono però forme di criminalità organizzata. Quindi, sotto questo profilo, i problemi che pongono agli uffici giudiziari chiamati a contrastarli sono assai simili. Quello che aveva funzionato su uno dei due fronti andava applicato anche all'altro.

Fu questo il ragionamento di Caponnetto, maturato non appena si rese conto che le carte dell'istruttoria originata dal rapporto dei 162 riempivano già mezza stanza e mancavano ancora le decine e decine di processi relativi alla guerra di mafia, che giacevano sparsi sulle scrivanie di vari giudici.

Il pool, inoltre, aveva verso l'esterno un'altra funzione, quella di spersonalizzare la titolarità dei singoli provvedimenti. La regola fu: «tutti firmano tutto». Ai fini della sicurezza non era poco: veniva meno la riferibilità diretta di una determinata istruttoria a un singolo giudice.

La applicammo anche in procura: quante firme ho scarabocchiato senza neanche leggere in calce a cosa le stessi mettendo! Il tutto presupponeva la massima fiducia reciproca. Non fu mai tradita. «Di meglio non ci poteva capitare» mi confidò Falcone, ripetendo le parole di Piero Vigna.

Il gruppo fu formato nel giro di pochi giorni. Ai «dioscuri» Falcone e Borsellino vennero affiancati Leonardo Guarnotta e Peppino Di Lello, due giudici esperti e determinati. Non che altri in quell'ufficio non lo fossero, ma la scelta cadde su di loro. E fu un'ottima scelta. Ne entreranno a far parte in seguito anche Gioacchino Natoli, Ignazio De Francisci e Giacomo Conte.

La novità scosse il Palazzo, e non solo quello palermitano. Montava tra molti magistrati un groviglio inestricabile di gelosia, invidia, vigliaccheria e timore che venisse sconvolto l'esistente, insieme alle sicurezze che garantiva. Non pochi ne rimasero coinvolti. Tra questi alcuni esponenti, cosiddetti autorevoli, dell'Associazione nazionale magistrati, assai sensibili per mestiere agli umori della base, presupposto del consenso necessario alla costruzione di carriere «parallele»: quelle che conducono a ruoli di visibilità in seno all'Anm, tradizionali trampolini di lancio verso l'agognata meta del Csm.

Fioccarono perplessità, riserve, cautele e non mancarono attacchi frontali. Si aprì all'interno delle varie correnti dell'Anm il solito dibattito, che scomodava i principi su cui si regge la cultura della giurisdizione, il ruolo del giudice nella società moderna, la fedeltà ai canoni costituzionali, il sesso degli angeli, la verginità della Madonna e, se non ricordo male, il giusto punto di cottura del brasato. Insomma chi più ne aveva, più ne metteva. C'era chi lo faceva in perfetta buona fede, ma tanti, invece, guardavano soltanto agli appuntamenti elettorali dei magistrati.

Era la magistratura in cui, per progredire in carriera, occorreva la giusta anzianità e il «non demerito». Nient'altro. L'anagrafe era il criterio di riferimento: quell'automatismo teneva buono il popolo delle toghe e lo rassicurava. Il merito non era ben visto perché potenzialmente discriminatorio. Era sufficiente girare le pagine del calendario, fare lo stretto necessario e aspettare. Alla data prevista, l'avanzamento di grado sarebbe arrivato. Per gli aspiranti agli incarichi direttivi occorreva, in più, trovare il giusto «padrinaggio» di questo o quel papavero, di questa o quella corrente.

E chi sbagliava? La giurisprudenza della sezione disciplinare del Csm regala spunti di umorismo, talvolta esilaranti. La prassi tra le correnti era quella di scambiarsi il voto a favore dell'incolpato di turno: «Oggi noi salviamo il vostro, domani voi salverete il nostro». In una realtà siffatta, l'irrompere di un nuovo modello organizzativo, ispirato a una maggiore efficienza e alla valorizzazione dei migliori, non poteva non creare allarme.

La stampa svolgeva il suo ruolo. Qualche giornale, i soliti, ci marciava. Gli interventi, a favore o contro, si moltiplicavano. Il tema di fondo era la lotta alla mafia, su cui tutti si dichiaravano d'accordo e la stragrande maggioranza – sono sicuro – lo era davvero. Ma chi doveva combatterla? Non i giudici, ci mancherebbe! I giudici non lottano, il loro ruolo è quello di presidiare la legalità amministrando la giustizia, che è cosa ben diversa. Il giudice è terzo, non può e non deve mai scendere in campo.

Non capivo bene se alla fine l'avrebbe spuntata il surreale o il demenziale. Né mi interessava più di tanto. Presi atto che chi, come noi, stava provando a cambiare sul serio le cose, mettendo in gioco la propria qualità della vita, se non peggio, non era disprezzato, affatto. Più semplicemente non era gradito, perché rischiava di creare, anche senza volerlo, troppi problemi a un assetto di potere le cui regole erano da tempo ben definite e dovevano essere difese da ogni interferenza, specie se dotata di carica innovativa.

Una posizione talmente ottusa da apparire sospetta e che, comunque, finirà con il provocare danni che andranno ben oltre quelli arrecati ai singoli che ne saranno colpiti.

Venne perfino evocato un ostacolo giuridico che impediva la possibilità di dar vita a una squadra di giudici istruttori. Il codice di procedura, infatti, prevedeva che quell'ufficio fosse «monocratico». Altro che pool...

Caponnetto lo superò in modo ineccepibile, assegnando il processo a se stesso per rispettare la regola della monocraticità, dopodiché – «preso atto della complessità del procedimento e della molteplicità degli atti da compiere» – delegava questi ai singoli giudici istruttori. I delegati, neanche a dirlo, erano di volta in volta Falcone, Borsellino, Guarnotta o Di Lello. Lo scoglio era superato nel pieno rispetto delle regole, in quanto il ricorso alla delega era espressamente previsto dal codice.

La caserma della guardia di finanza diventò la casa di Caponnetto. Andai a trovarlo poche volte, anche perché passava in ufficio l'intera giornata. Non disponeva di una suite: la sua stanza era piccola e disadorna, da asceta direi, e Nino, in fondo, un po' lo era. Non notai la presenza di libri tranne, poggiati sul comodino, le *Confessioni* di sant'Agostino e un volume della *Recherche* di Proust. Le sue letture preferite.

Senza volerlo e senza fare nulla per diventarlo, fu un protagonista, una guida riconosciuta. Possedeva la rara capacità di mettere tutti nelle condizioni ideali per dare il meglio di sé, dai magistrati ai segretari e persino chi, come me, non faceva neanche parte del suo ufficio, anche se i rapporti con la procura erano molto stretti. Tutti i vertici del Palazzo, al tempo ben rappresentati, lo accolsero con rispetto e fiducia. Accordarono le richieste di potenziamento della sua struttura imposte dal progressivo incremento dell'attività istruttoria. Si creò proprio una bella atmosfera attorno a lui. Si respirava un'aria fresca, pulita, che gonfiava i polmoni. Era «ecologico», nel lavoro come nei rapporti umani. Rivelò una grande energia, anche fisica. Fu un capo che non diede mai ordini. La sua leadership bastava da sola a far muovere le cose nella direzione che voleva, quella che reputava giusta.

La procura e l'ufficio istruzione dovevano impegnarsi a operare in stretta sintonia, essendo, pur nella peculiarità dei rispettivi ruoli, i due uffici più direttamente coinvolti in quella colossale attività istruttoria. Anche il nostro pool prese, così, una forma più definita e funzionale al comune obiettivo.

Vincenzo Pajno stabilì un'ottima intesa con Caponnetto: andavano d'accordo e si stimavano l'un l'altro. Nel libro intervista a Saverio Lodato ho letto, purtroppo quando Nino già non c'era più, che tra i due «se c'è stato qualche screzio, era dovuto al fatto – e Ayala ne è testimone – che Pajno dimenticava le cose dette e concordate il giorno prima. E questo, qualche volta, creava piccole frizioni. Ma nulla di più». Visto che sono stato chiamato in causa sento, in nome del ricordo tanto vivo quanto ammirato che conservo di entrambi, di dover testimoniare che quelle dimenticanze da altro non derivarono che dall'altalenante stato di salute di Pajno. C'erano giornate buone e altre, per fortuna poche, che lo erano assai meno. In queste ultime non tutto funzionava alla perfezione, memoria compresa.

A proposito di Pajno, la testimonianza che lo riguarda mi impone un'appendice. Non ho volutamente accennato ai cosiddetti «diari Chinnici», gli appunti personali che furono trovati nel suo studio privato dai familiari e che finirono, non certo per loro volontà, sui giornali. Riguardavano molte persone, soprattutto magistrati. Non erano piacevoli da leggere e lasciarono tutti noi a dir poco perplessi. Ne scaturì una polemica che fu chiusa con equilibrio e rapidità dal Csm. Una delle annotazioni riguardava Pajno, definito da Rocco «amico dei Salvo», il che, tenuto conto dei personaggi, non poteva certo esser letto come un complimento. Lo indusse con ogni probabilità in errore l'evolversi di una particolare vicenda processuale.

Ci era stato trasmesso, qualche mese prima, il testo di alcune intercettazioni telefoniche, riguardanti un'utenza nella disponibilità di Ignazio Salvo, dal contenuto tanto scarno quanto sospetto: un certo Giuseppe chiamava un commercialista milanese, non estraneo a rapporti professionali con certi ambienti, chiedendo insistentemente il numero telefonico di «Roberto». Le chiamate, due o tre in tutto, rivelavano un pressante interesse a contattare quest'ultimo. Il commercialista, però, non riuscì a soddisfare la richiesta. Né, quando lo interrogammo a Milano, ci fu di grande aiuto, anche se qualche ammissione gli sfuggì. Il sospetto nasceva da due considerazioni: tra le persone che avevano accesso all'utenza intercettata, nessuna si chiamava Giuseppe; «Roberto» era notoriamente il nome di copertura di Tommaso Buscetta, a quel tempo residente in Brasile e ancora esponente autorevole dell'organizzazione mafiosa. L'epoca delle telefonate era appena successiva alle uccisioni di Stefano Bontade e Totuccio Inzerillo, che avevano creato grande scompiglio negli equilibri interni della mafia. Tanto da indurre Nino Salvo, secondo quanto accertato dalla polizia, ad anticipare l'abituale crociera nei mari della Grecia, salpando a bordo del suo yacht, anziché a luglio, nel mese di maggio, per la presumibile ragione di mettersi al sicuro. L'ipotesi era che Ignazio Salvo, rimasto a Palermo, cercasse Buscetta per capire cosa stesse accadendo tra le cosche e, soprattutto, per sollecitare i suoi consigli sul da farsi. Noi sapevamo che «Roberto», nella contrapposizione tra famiglie «vincenti» e «perdenti», era inserito tra queste ultime. Ma i Salvo, a quel tempo, non potevano averne la più pallida idea: la guerra era appena scoppiata.

Dopo un'approfondita riflessione, Falcone e io decidemmo di comune accordo di indiziare Ignazio Salvo di associazione mafiosa per procedere al suo interrogatorio. Il mistero di quelle intercettazioni andava chiarito. L'incontro, per ragioni di riservatezza, avvenne di pomeriggio nell'ufficio di

Falcone. L'indiziato si presentò assistito dal suo difensore, nonché vecchio amico, Paolo Seminara, uno dei più quotati penalisti palermitani, noto per serietà e correttezza. L'interrogatorio ruotò intorno al contenuto delle conversazioni telefoniche. Ignazio Salvo negò categoricamente di essere uno dei due interlocutori. Ammise solo che di quel telefono ogni tanto faceva uso; poi chiese a noi: «Per quale motivo avrei mai dovuto ricorrere al nome Giuseppe, posto che il mio è Ignazio?». «Bella domanda,» replicai «ma la risposta è proprio lei che dovrebbe darla!» Resomi conto che ci eravamo impantanati, proposi al giudice istruttore e a Seminara di sospendere l'interrogatorio, giusto il tempo necessario a predisporre l'ascolto diretto del nastro in questione, anche per verificare la fedeltà della trascrizione alla quale sino ad allora tutti avevamo fatto esclusivo riferimento. La proposta non rientrava nella prassi, neanche a me era mai capitata una cosa del genere. Ma l'idea mi sembrò buona e la tirai fuori.

Inutile dire che né io né Falcone avevamo mai ascoltato quella registrazione. Giovanni annuì e accolse la proposta. Salvo e l'avvocato, a loro volta, aderirono. E come avrebbero potuto non farlo? Incassarono il colpo, anche se non era ancora niente rispetto all'uppercut che di lì a poco li avrebbe messi al tappeto. Mai registrazione fu foneticamente più fedele. Ne rimanemmo tutti stupiti: l'identità della voce era inequivocabile. Non c'era neanche bisogno di una perizia fonica. Al termine dell'ascolto l'indiziato, dopo aver scambiato un rapido sguardo con il suo difensore, ammise quello che sino ad allora aveva con tutte le forze negato. Quelle telefonate le aveva fatte lui. Tentò di accampare qualche giustificazione, ma non fu necessario contare fino a dieci per proclamare il suo ko.

Quando la porta si chiuse alle spalle dei due sconfitti, Falcone mi guardò e non disse nulla. A me bastò vedere il suo pollice ben eretto in posizione verticale. Alzai anche il mio. Le mie quotazioni ai suoi occhi avevano registrato un'impennata.

Nei giorni successivi, l'esito di quell'atto istruttorio creò in seno al gruppo una spaccatura seria e, in quanto tale, di difficile gestione. I miei colleghi della procura, tranne Mimmo Signorino, erano dell'opinione che bisognasse avanzare subito richiesta di mandato di cattura per associazione mafiosa a carico di Ignazio e Nino Salvo. Rocco Chinnici, con il quale non avevo parlato, pare avesse lasciato intendere di essere d'accordo. Io non lo ero per niente. Il fascicolo, per di più, era stato a suo tempo assegnato proprio a me. Dalla mia opinione non si poteva prescindere.

E Falcone? Lo affrontai direttamente. «Giovanni, io sono contrario alla emissione di un mandato nei confronti dei Salvo che, invece, nel mio ufficio, e pare anche nel tuo, trova sostenitori. Gli elementi di cui disponiamo si sono senza dubbio rafforzati dopo l'interrogatorio, ma rimangono deboli, debolissimi. Per essere più che sintetico, se io fossi uno dei Salvo, quel mandato di cattura me lo augurerei. La Cassazione lo ridurrà sicuramente, e giustamente, in polpette e così la patente di perseguitati non gliela toglierà nessuno. Valli a toccare più! Per non dire che la nostra credibilità ne uscirebbe offuscata. Vorrei sapere che ne pensi, perché il gioco è diventato pesante e da solo non so se sono in condizione di affrontarlo.»

Falcone fu telegrafico: «Sono con te in tutto e per tutto. Il mio ufficio non può emettere nessun mandato di cattura senza la richiesta del tuo. Se la richiesta arriva e se Rocco, con cui non posso non parlarne, la condivide, il problema è mio. Se la richiesta, invece, non arriva, voilà, il problema non c'è. *Intelligenti pauca*. Vai, e torna vincitore!».

Conquistai il punto proprio grazie a Vincenzo Pajno. La riunione fu animata. Lasciai parlare i sostenitori del mandato di cattura, che esposero le loro ragioni. Erano assai poco convincenti e un po' puzzavano.

I Salvo erano un crocevia dell'intreccio mafia-imprenditoria-politica, siciliano e non solo. Erano ricchissimi e potenti, legati a doppio filo all'onorevole Salvo Lima, contiguo alla mafia e autentico ras della corrente andreottiana. Gestivano grandi affari in diversi settori dell'economia regionale. Gli uomini più potenti della Sicilia, si diceva in giro. Le loro esattorie, sparse in tutta l'isola, godevano dell'aggio più alto d'Italia. Era caduto addirittura un governo nazionale il giorno in cui la legge che lo doveva confermare, se non addirittura aumentare, non era passata in Parlamento. Roba pesante, insomma, potere vero con tutte le sue sfaccettature, comprese le meno limpide.

Un'iniziativa giudiziaria destinata, secondo me, a essere bollata di avventatezza avrebbe comportato conseguenze da evitare a ogni costo. Per non dire che avremmo privato i Salvo della libertà personale senza disporre di prove sufficienti, ma solo di indizi tutto sommato labili. Cosa che non avevamo mai fatto prima, né mai accadrà in seguito.

Teorizzavo da tempo che alla macelleria della mafia dovevamo contrapporre la nostra chirurgia, cioè il massimo di professionalità di cui eravamo capaci. Sulle garanzie, insomma, non si discuteva. Bastava questo per sconsigliare l'adozione di quel provvedimento. Ma c'era di più, molto di più: l'insuccesso a cui ci esponevamo si sarebbe pesantemente ritorto contro di noi. La potenza dei Salvo avrebbe di certo scatenato – e debbo dire con qualche ragione – una campagna mediatica destinata a delegittimare tutto il buono che, con tanta fatica e molti rischi, stavamo mettendo in piedi.

Quando Pajno mi diede la parola, dissi la mia. Mantenni basso il tono, per privilegiare la fermezza. Uno sguardo del capo m'illuminò: era d'accordo con me. Allora forzai: «E comunque, procuratore, sappia che, se alla fine di questa discussione si dovesse decidere in senso difforme a quanto da me illustrato, lei dovrà togliermi il fascicolo e assegnarlo ad altro collega, perché io quella richiesta non la firmerò mai. Perdoni la durezza». Nessuno osò più intervenire. La forzatura si rivelò decisiva. Il «tutti firmano tutto», questa volta, se lo potevano scordare. Non sentivo ragioni. Il procuratore si sarebbe trovato davvero in difficoltà. Alla fine i fautori del mandato dovettero desistere.

Quella sera non chiamai volutamente Falcone. Lo feci l'indomani per chiedergli: «È arrivata la richiesta?». «Non ancora, ma io il mandato l'ho già pronto.» Lo scherzo non aveva funzionato. Aveva capito subito che non sarebbe arrivata, tanto che mi chiese: «Ma come ci sei riuscito?». «San Vincenzo mi ha assistito» risposi.

È tutta qui la spiegazione di quell'«amico dei Salvo» che Rocco non avrebbe mai dovuto scrivere, per la semplice ragione che non era vero, come i fatti successivi confermeranno. L'avrà fatto in un momento di rabbia, di sfogo con se stesso. Quegli appunti, d'altronde, non erano certo destinati alla lettura di terzi.

Il rodaggio del pool fu breve. La macchina raggiunse presto il regime di produttività per cui era stata progettata. La ricaduta sull'attività della procura fu pesante. I fascicoli che ci venivano trasmessi per le iniziative di nostra competenza aumentavano a vista d'occhio. I ritmi che dovevamo per necessità imporci non avevano precedenti in quell'assonnato Palazzo.

Mi ritrovai in qualche modo agevolato dalla scelta, per la verità suggeritami da Falcone, di seguire di persona, per quanto possibile, l'attività istruttoria, la sua in particolare. Sul momento poteva apparire un impegno in più, e invece non lo era. Quando trovavo sul mio tavolo i processi provenienti dall'ufficio istruzione, non avevo la necessità di studiarne le carte, avendo partecipato alla maggior parte degli atti. Li conoscevo e, in ogni caso, gli appunti che a mano a mano raccoglievo mi facevano risparmiare fatica e, quindi, bruciare i tempi di risposta.

Ciò non toglie che certe mattine, aperta la porta dell'ufficio, veniva voglia di richiuderla e andarsene via per la massa di scartoffie che ricopriva la scrivania. Mi inventai, così, un diversivo estemporaneo, sollecitato dal ricordo di un divertente episodio che aveva visto protagonista, anni prima, un collega approdato poi in Parlamento. Era un magistrato di robusta preparazione giuridica ma, a quanto si diceva, di gracile voglia di lavorare. Il suo guaio era di essere il pubblico ministero collegato con l'allora giudice istruttore Rocco Chinnici, la cui laboriosità era, invece, leggendaria. Una mattina, a pochi giorni dalle ferie estive, quando una certa rilassatezza comincia a farsi sentire, arrivò nella sua stanza e trovò la scrivania sommersa da processi trasmessi da Rocco «per requisitoria». Si narra che si sia fiondato nell'ufficio di quello che riteneva essere il suo aguzzino per dirgli con tono accorato: «Rocco, ma tu un hobby non ce l'hai?».

In occasione di una riunione del pool, perciò, alla presenza di Caponnetto, presi la parola: «Scusate, stiamo vivendo un'esperienza nuova, quella del gioco di squadra. Il principio basilare risiede nella intelligente divisione dei compiti. Ognuno deve fare la sua parte e contribuire così al successo di tutti. A ciascuno il suo ruolo, insomma. E qual è il mio? Inutile dirlo, è quello di pensare, di partorire idee da mettere a vostra disposizione. Se mi costringete a passare il tempo chino sui fascicoli che mi trasmettete, me lo dite quando penso? Perciò l'errore, secondo me, va corretto». Tralascio i commenti, tranne quello di Caponnetto: «Giuseppe, mi meraviglio di te. La soluzione c'è. Cambia ruolo! Pensa meno».

Il caso volle che, alla successiva riunione, credo l'indomani stesso, arrivato con un leggero ritardo, li trovai impelagati nel tentativo di risolvere un complicato problema. Non riuscivano a venirne fuori. Per puro caso la possibile soluzione mi venne in mente e la feci presente. Si guardarono negli occhi, nessuno ebbe nulla da dire, era quella giusta. Borsellino commentò: «Si vede che oggi Ayala si è concesso una pausa, perché l'idea veramente buona è. Se tanto mi dà tanto, io processi non gliene mando più, così può pensare quanto vuole». Ma alle parole i fatti, ahimè, non seguirono.

A distanza di tanti anni, ricordando e quasi rivivendo quella drammatica, lunga e intensa esperienza, mi rendo conto del perché il sarcasmo e l'ironia aleggiassero su di noi così spesso. Era banalmente il cercare di «ridere per non piangere». Facevamo una vita che definire «di merda» mi pare eufemistico. Almeno qualche risata, no? Tutto sommato ci bastava poco.

Gli incontri pomeridiani, ormai quasi quotidiani, duravano almeno due o tre ore, con il frequente rischio di andare anche oltre. Ci salvava l'orario della mensa della guardia di finanza, dove Nino consumava i pasti, che chiudeva alle ventuno. Quello era il tetto massimo.

Una sera Paolo, dopo che Caponnetto era già andato via, rivolto a Falcone lanciò un'idea: «Giovanni, tu che hai ottimi rapporti con la guardia di finanza, perché non suggerisci di anticipare di almeno mezz'ora la chiusura della mensa? Non per altro, ma per fare riposare un po' di più il povero Nino». «Meglio lasciare le cose come stanno, senti a me!» replicò Falcone «Se no Nino è capace che si presenta con il panino. Così, altro che le nove!»

VII
La partita truccata

La compattezza della coltre che da sempre manteneva la realtà mafiosa avvolta nel più fitto dei misteri cominciava a incrinarsi.

Già le ammissioni di Ko Bah Kin e Gasperini ci avevano fatto raggiungere risultati significativi. Ma i due erano estranei all'organizzazione e, quindi, alla mentalità e alle ferree regole che vigevano al suo interno.

Sembrava ancora impossibile ottenere qualcosa di analogo da parte di chi, al contrario, quella mentalità e quelle regole aveva fatto proprie. Da un mafioso, insomma. E, invece, due personaggi appartenenti ai livelli bassi della gerarchia decisero di rompere con la tradizione. Le loro indicazioni, per quanto limitate e circoscritte a singoli episodi criminali, si rivelarono utilissime. E anche agghiaccianti. Uno dei due, infatti, riferì con dovizia di particolari le modalità seguite per sciogliere nell'acido i cadaveri di quelli che lui definiva gli «ammazzati»: precisò che «non rimaneva nulla, tranne l'orologio». Si spiegavano così, se non tutte, molte «lupare bianche», i morti senza ritrovamento del cadavere. Più «senza» di così!

Sia pure in una forma ancora embrionale, ci ritrovammo per la prima volta a confronto con il cosiddetto «pentitismo». Ne cogliemmo subito i due aspetti più significativi: la grande utilità per le indagini e, al tempo stesso, la delicatezza della gestione. «Maneggiare con cura» fu il mio commento dopo la lettura dei primi verbali. Questa frase, tra noi, diventerà uno slogan che non perderemo mai di vista.

Per la verità, in epoca non sospetta, eravamo stati preventivamente messi in guardia da Peppino Di Lello.

I colleghi di Napoli si erano già misurati con i «pentiti» della camorra, i primi in ordine di tempo (a parte i terroristi, ma quella era e resta un'altra storia). A un certo punto ci avevano avvertito che qualcuno di quei camorristi riferiva anche episodi riguardanti personaggi mafiosi, suggerendoci l'opportunità di andare a interrogarli: loro di quei fatti non sapevano nulla.

L'incombenza era stata, all'unanimità, affidata a Di Lello. Avrei dovuto accompagnarlo, ma un triste evento familiare mi aveva impedito di partire. Al ritorno da Napoli, Peppino era venuto a cena a casa mia. Ero curioso e gli avevo chiesto subito come fosse andata. «Giuseppe, sono pazzi!» aveva esclamato. «Ma chi, i pentiti?» «Non sto parlando di loro, purtroppo!» aveva risposto.

Qualche tempo dopo, il «caso Tortora», e non solo quello, avrebbe confermato che il buon Peppino aveva azzeccato la diagnosi. In quel caso alla macelleria camorristica si era contrapposta quella giudiziaria. Ecco perché insistevo con la chirurgia. La distinzione non era di poco conto.

È vero che quei colleghi furono i primi ad avere a che fare con i pentiti e con i rischi professionali che ne conseguivano. Ma a essere più attenti, e soprattutto più cauti, avrebbero dovuto provarci. Non lo fecero, senza peraltro subirne alcuna conseguenza. Uno di loro, come se nulla fosse, avrebbe fatto pure una bella «carriera parallela» fino al Csm. E, ironia della sorte, in quella veste sarebbe stato chiamato a giudicare me e Falcone, bocciandoo entrambi. «Cose 'e pazze!», tanto per rimanere a Napoli.

Anche a seguito della catastrofica esperienza di quei colleghi, ci chiarimmo rapidamente le idee. Il termine «pentito» può essere adoperato soltanto perché diventato di uso comune, ma è sbagliato. I collaboratori di giustizia, infatti, sono criminali che si determinano a quella scelta quasi sempre per fini che esulano dal pentimento. Decidono, a un certo punto, di servirsi dei giudici per consumare le loro vendette o per realizzare le loro rivalse. Non sono mai animati da finalità estranee a logiche criminali. Vanno affrontati, perciò, con la massima diffidenza. La professionalità di chi raccoglie le loro dichiarazioni è l'unica garanzia per distinguere il grano dal loglio. Non è facile, ma si può fare. I riscontri sono l'unica cartina di tornasole della loro affidabilità. Quando mancano o sono insufficienti, meglio fare un passo indietro per non correre il rischio di inciampare nella calunnia o nel depistaggio. Distacco e prudenza sono le coordinate principali per non trasformare in un disastro un'innegabile opportunità. Non sempre, purtroppo, questo è avvenuto. La colpa non è mai del pentito, ma sempre del magistrato rivelatosi incapace. Il quale, visto che nessuno gli presenta il conto, quella incapacità non è stato mai chiamato a pagarla.

Quando ci capitava di commentare i risultati raggiunti grazie alle dichiarazioni dei due «protopentiti», così li ribattezzammo, coltivavamo la speranza che il loro esempio potesse essere seguito da altri. «Te lo immagini se decidesse di collaborare Tizio?», «e perché, se lo facesse Caio ti dispiacerebbe?» ci chiedevamo, abbandonandoci all'immaginazione. Fra i tanti Tizio e i tanti Caio, nessuno inserì mai Tommaso Buscetta. Sarebbe stato troppo. Va bene sperare, ma a tutto c'è un limite!

L'eventualità che altri mafiosi potessero intraprendere la strada della collaborazione con l'autorità giudiziaria costituiva l'incerto. Il certo, però, non mancava: ci aveva preceduto, ma poteva essere recuperato. Leonardo Vitale e Giuseppe Di Cristina, prima di essere ammazzati, non avevano lesinato significative rivelazioni. Decidemmo di riesumarle. Anche i morti potevano tornare utili, perché non provarci?

A commento della scelta, mi venne in mente di citare *La brevità della vita* di Seneca: «In tre stagioni si divide la vita: ciò che è stato, ciò che è, ciò che sarà ... È proprio di una mente non preoccupata e tranquilla correre qua e là per tutte le parti della propria vita; invece, gli animi degli affaccendati, come posti sotto un giogo, non sono in grado di piegarsi e di volgersi indietro». E aggiunsi: «Quel giogo mi piace perché ci impedisce di guardare indietro. Se lo facessimo, troveremmo la qualità della vita che abbiamo perduto e un bel po' di morte. Meglio evitare, no?». Battute e scongiuri irripetibili.

Ciò non toglie che, lavorando a tempo pieno, lo spazio per pensare si riduceva. E non era un male.

Ma chi erano i due da «riesumare»? Il primo, Leonardo Vitale, era stato un mafioso rimasto fermo al primo gradino nella gerarchia di Cosa nostra. Nella serata del 30 marzo 1973, all'improvviso, salì in un sol colpo tutta la scalinata che portava agli uffici della squadra mobile di Palermo. In preda a una crisi mistica, raccontò la sua vita di delinquente. Si accusò dei quattro omicidi che aveva commesso, indicò i complici, riferì tutta una serie di delitti e fece nomi come quello di Salvatore Riina, Pippo Calò, Vito Ciancimino e altri ancora, collegandoli a precise circostanze. Elencò una caterva di affiliati alle famiglie di Palermo e descrisse, per primo, la cerimonia di iniziazione del neomafioso, alla quale era arrivato non senza difficoltà. La prova d'ammissione che gli chiesero di superare consisteva nell'uccidere un cavallo. Non se la sentì. Gli fu concessa una prova d'appello: uccidere un uomo. Ci riuscì. Si chiamava Mannino, era un campiere e portava un paniere.

Non fu creduto. I giudici lo sottoposero a una perizia psichiatrica, che confermò ciò che appariva del tutto evidente. Era pazzo. Il processo si concluse con una serie di assoluzioni. Quei giudici furono talmente contenti di pronunciarle che non se la sentirono di negarne qualcuna anche allo stesso Vitale. Gli affibbiarono un solo omicidio, grazie al quale poterono ordinare il suo ricovero in un manicomio giudiziario. Ci rimase, zitto e buono, per dieci anni, poi fu liberato. La mattina del 2 dicembre 1984 mentre, accompagnato dall'anziana madre e dalla sorella, si accingeva a tornare a casa dopo avere assistito alla messa, un commando di killer gli ricordò che la memoria della mafia è lunga, molto lunga. Qualche giorno prima si era confidato con un amico, dicendo: «Lo so che mi ammazzeranno». Il piombo di quegli assassini aveva riscritto la perizia: Leonardo Vitale non era pazzo, era soltanto un infame.

Il secondo, Giuseppe Di Cristina, invece, di gradini della gerarchia mafiosa ne aveva saliti tanti. Era un boss, trafficava stupefacenti e faceva politica. La Dc lo annoverava tra i capi elettori più fedeli e consistenti. Ai suoi funerali parteciparono più di settemila persone. L'intero paese, Riesi in provincia di Caltanissetta, quella mattina si fermò. Sfilarono, addolorati e commossi, molti uomini politici, burocrati di ogni livello e tanti sacerdoti. Era figlio d'arte. Nel santino commemorativo distribuito ai funerali del padre, la parola «mafia» compariva in bella mostra. Come tutti i mafiosi di rango, non circolava mai senza guardaspalle. In una brutta giornata di primavera del 1978 dovette fare a meno di due di loro, perché qualcuno li uccise. Li pianse, ben sapendo che non avrebbe avuto altre occasioni per farlo: i morti, si sa, non possono piangere e il segnale era stato fin troppo chiaro.

Un maggiore dei carabinieri raccolse il suo ultimo tentativo di rimanere aggrappato alla vita. L'incontro, riservatissimo, durò non più di un'ora. Si svolse all'interno di uno sperduto casolare nella campagna del fratello Antonio. Il maggiore faceva fatica a redigere il verbale. Di Cristina riversava informazioni a cascata: il disegno egemonico dei Corleonesi, di cui mai nessuno aveva parlato; l'organigramma dettagliato di quella famiglia mafiosa; il ruolo determinante di Luciano Liggio negli omicidi del capitano Russo e del giudice Terranova; la grande ascesa dei suoi luogotenenti Riina e Provenzano, che soprannominò «le belve», attribuendo loro non meno di una quarantina di assassinii; e poi ancora affari, relazioni e parentele. C'era di tutto. Una vera manna per gli investigatori.

L'ufficiale diede atto di aver avuto la netta impressione di trovarsi davanti un uomo in preda al terrore, un animale braccato. A conferma di ciò, Di Cristina gli aveva confidato che gli amici avevano acquistato per lui un'auto blindata del valore di ben trenta milioni di lire, che sarebbe arrivata al più presto. Arrivò, ma tardi. Un paio di giorni dopo, a Palermo, Di Cristina ebbe giusto il tempo di capire l'ultima cosa della sua vita: quel casolare non era poi tanto isolato.

Aveva in tasca un assegno. Boris Giuliano, capo della squadra mobile, partendo proprio da quel pezzo di carta, ricostruì una bella fetta del giro di capitali legato al traffico di droga siculo-americano. A Leoluca Bagarella la cosa non piacque e decise di comunicarlo a quel poliziotto che non si faceva gli affari suoi: il 21 luglio 1979, alle otto del mattino, in un bar di via Francesco Paolo Di Blasi, lasciando la parola ai proiettili della sua pistola, recapitò personalmente il messaggio. L'ultimo.

La lettura di quegli atti «riesumati» arricchì il patrimonio di conoscenze che stavamo faticosamente mettendo assieme, molto più di quanto non avessimo previsto. Se di mosaico si trattava, le tessere erano tante. Nascevano «datate» ma, una volta recuperate e accostate alle innumerevoli da noi raccolte, diventavano attuali.

Il rapporto dei carabinieri sulle rivelazioni del mafioso di Riesi si chiudeva con un commento, del quale darò pubblicamente atto all'Arma durante la requisitoria del maxiprocesso: «Le notizie fornite dal Di Cristina rivelano una realtà occulta, davvero paradossale. Rivelano che accanto all'Autorità dello Stato, esiste un potere più incisivo e più efficace, che è quello della mafia. Una mafia che agisce, si muove, che lucra e uccide, e che giudica. E tutto ciò alle spalle dei pubblici poteri». Firmato: colonnello Antonio Subranni. Lo leggemmo e ne rimanemmo molto colpiti. Non era soltanto una valutazione, per quanto responsabile e dura. Era, in realtà, un monito: i pubblici poteri si tolgano la mafia dalle spalle e se la mettano di fronte. Fatto questo, la combattano e la sconfiggano!

È proprio questo che non si è riusciti ancora a fare. Noi forse ci siamo arrivati vicini più di chiunque altro, ma il guaio è che a oggi dalle spalle non ce la siamo tolta, per una semplice ragione: non tutti i pubblici poteri sono stati d'accordo.

Per poter affrontare un avversario con qualche buona chance di vittoria, infatti, la precondizione è quella di averlo davanti, contrapposto, perché rappresenta l'altro rispetto a te. Con la mafia questo non è successo. Nei confronti del terrorismo, invece, dopo il sequestro e l'uccisione dell'onorevole Aldo Moro, accadde che tutte le forze politiche decisero, senza defezioni, che lo Stato doveva finalmente dimostrare un'ovvietà: quella di essere il più forte. Il nemico fu isolato e battuto.

Ma dov'è allora la differenza rispetto alla mafia? Immaginiamo un incontro di calcio. Le istituzioni da una parte, l'avversario dall'altra. Le squadre sono ben definite e riconoscibili senza difficoltà, perché indossano maglie di colore diverso. La partita è regolare. Questo avvenne nel match contro i terroristi. E finì come doveva finire, vista la soverchiante forza della squadra-Stato. La partita contro la mafia non è stata vinta per la semplice ragione che non è mai stata giocata sul serio. I colori delle maglie non hanno segnato la netta distinzione tra le forze in campo. Il pubblico non è in condizione di seguire l'incontro, se vede giocatori che dovrebbero stare da una parte schierarsi dall'altra e viceversa. È mancata la precondizione. Con alle spalle quello che dovrebbe essere il tuo avversario, che ti chiede magari di passargli la palla, come è possibile giocare? La partita è truccata.

La mafia non è affatto più forte dello Stato. È molto più debole. Ma se il potenziale vincitore gioca la partita con la formazione sbagliata, fa un favore a quello che dovrebbe essere il perdente, o no? La nostra vicenda è la più lampante delle conferme di tutto questo. Quanti giocatori che avrebbero dovuto essere nostri si sono schierati con gli avversari? E quanti hanno fatto il contrario? I nomi hanno un'importanza relativa. È la logica che va compresa, perché tutto trae origine da lì. Se non ci fossero stati quelli che abbiamo conosciuto ce ne sarebbero stati altri: i nomi non cambiano certo la sostanza.

Un'analisi seria deve trovare la forza di andare oltre la personalizzazione delle azioni. Si offra pure al pubblico sdegno questo o quel protagonista della connivenza o della collusione. Ma non ci si fermi a questo. Perché così facendo, senza volerlo, si alimenta un'illusione: senza quei reprobi tutto sarebbe andato diversamente. E, invece, nulla di diverso sarebbe accaduto, perché ci sarebbero stati di sicuro altri reprobi, magari peggiori. E ce ne saranno sempre, finché la Politica non deciderà che la mafia deve fare la stessa fine del terrorismo.

La responsabilità penale è personale, perché così vuole la Costituzione. Sono proprio le persone, i «nomi», quelli di cui non si può e non si deve fare a meno. Ma la responsabilità politica è un'altra cosa: vogliamo caricare una complice contiguità lunga almeno sessant'anni tutta sulle spalle dei singoli che l'hanno sfruttata? Oppure siamo maturi e pronti a renderci conto che, al di là di questo o quel mascalzone di turno, la mafia è una componente stabile e organica del sistema di potere del nostro Paese? Che siede, direttamente o indirettamente, al tavolo delle decisioni che la interessano? Siamo disposti a prendere atto del fatto che magistratura e forze di polizia, se lasciate sole, non ce la faranno mai?

C'era una volta un famoso uomo politico, uno dei più celebrati, che alla domanda sul perché annoverasse tra i più vicini e fedeli luogotenenti un personaggio chiacchieratissimo per i suoi rapporti con la mafia, se non addirittura mafioso lui stesso, rispondeva: «Finché una sentenza passata in giudicato non confermerà tutto questo, non intendo privare quella persona di un solo granello della mia assoluta fiducia e incondizionata stima». Al di là dello specifico, il giochetto è semplice e funziona talmente bene che ancora oggi trova molti seguaci. Ai giudici, e solo a loro, compete di individuare e sanzionare certi comportamenti, sia che riguardino la mafia sia che abbiano a che fare con la corruzione. La politica, anzi, non deve interferire. Non c'è modo migliore di continuare a mantenere quei rapporti che assicurano quello che devono assicurare: voti, molti voti, e potere. La politica è, in questi casi, come la famosa scimmietta: non vede, non sente e non parla. E finge. Perché il mafioso può fare il suo mestiere solo in quanto la sua condizione sia nota.

Esempio: si presenta un tizio da un commerciante e gli chiede il pizzo. I casi sono due soltanto: o viene cacciato a calci nel sedere o viene denunciato. Ne viene un altro, avanza la stessa richiesta e non viene né cacciato né denunciato, ma incassa quanto richiesto. Realizza l'intento perché è più simpatico? No, ci riesce soltanto perché è un mafioso, il suo interlocutore lo sa e ne trae le conseguenze. E se non lo fa? Libero Grassi, Piero Patti e pochi altri ci provarono, ma non possono raccontarlo. Un barlume di speranza, tuttavia, comincia a prendere corpo. Confindustria si è schierata accanto ad alcuni coraggiosi imprenditori e alle associazioni che si battono contro il pizzo per tentare di scrivere una pagina nuova. Spero di poterla leggere tutta. E ancora, nell'assegnazione di un pubblico appalto, un imprenditore pretende che gli altri rinuncino per favorire il suo interesse. Perché costoro dovrebbero accettare quell'imposizione? Si faccia la gara e chi farà l'offerta più vantaggiosa si aggiudicherà i lavori. In un'altra occasione un imprenditore avanza la medesima pretesa e non incontra la benché minima resistenza. Nessuno trova nulla da ridire. Il primo non era un mafioso, il secondo sì.

Il mafioso agisce accompagnato dalla forza di intimidazione che deriva dal vincolo associativo, come precisa anche il codice penale. Se gli altri non lo riconoscono come tale, come fa a intimidire qualcuno? La sua qualità, se così la vogliamo chiamare, deve perciò essere conosciuta dall'interlocutore. È immaginabile che qualcuno abbia timore di uno status personale che non conosce?

La proprietà transitiva comporta che le stesse considerazioni valgano nei confronti di chi, con i mafiosi, è solito intrattenere stabili rapporti di qualsivoglia genere. Tutti si avvedono, ben conoscendo lo status di uno dei due, che quella relazione, se non di complicità, è quantomeno indicativa di collusione o di connivenza. I politici, invece, per mera convenienza, fingono di cadere dalle nuvole. A meno che i giudici, con sentenza passata in giudicato, ecc. E lì, in ogni caso, palate di garantismo e presunzioni di innocenza. Lo stesso vale per tutti quegli esponenti dell'apparato burocratico che quel tipo di relazione non disdegnano o, almeno, subiscono.

Per un solo momento immaginiamo che tutti questi legami vengano recisi. La mafia risulterebbe isolata, del tutto estranea rispetto al contesto sociale e all'ordinario svolgersi delle relazioni civili. Le istituzioni, a loro volta libere da ogni vincolo e quindi compatte, quanto tempo impiegherebbero a toglierla di mezzo? Non mi avventuro in previsioni, ma considerando l'enorme disparità delle forze in campo, lo scontro non sarebbe destinato a durare più di tanto. E sarebbe, inoltre, molto agevolato dalla strutturale vigliaccheria del mafioso, mai disposto a correre il benché minimo rischio.

La percezione dell'isolamento basterebbe, nella maggior parte dei casi, a indurlo a lasciar perdere e a occuparsi d'altro.

Questo era nel 1983 lo stato dell'arte, identico – ahimè – a quello attuale. La sua lucida individuazione avrebbe comprensibilmente potuto demotivarci. Invece accadde il contrario, perché lo scenario non era più quello tradizionale. La mafia era uscita dall'ombra nella maniera più clamorosa e drammatica. La catena ininterrotta di omicidi di alcuni rappresentanti dello Stato aveva acceso i riflettori e la pretesa di una risposta adeguata, da parte della politica e delle istituzioni nel loro complesso, si diffondeva in tutto il Paese.

I risultati che speravamo di conseguire con il nostro lavoro avrebbero assunto, quindi, una duplice funzione: dare prova che, almeno con una delle sue componenti, lo Stato cominciava a fare sul serio; e, al tempo stesso, fare da traino ai tanti pezzi delle istituzioni che sarebbero stati chiamati a venir fuori dalle paludose sacche di inefficienza e sottovalutazione (per non dire peggio) che costituivano il loro habitat naturale. «Noi ci siamo, voi che fate?» Questo era il messaggio che ci auguravamo venisse raccolto, sia pure senza entusiasmo.

Le cose non andarono così, ma in quel momento non percepivamo indizi che potessero allertarci. Al contrario, intorno a noi sentivamo il sostegno non solo di buona parte della pubblica opinione, ma anche del mondo politico, certo con accentuazioni diverse tra i vari partiti, ma senza alcuna tangibile frapposizione di ostacoli. Tornavamo utili, soprattutto a quelli che ci usavano per dimostrare che «lo Stato si stava attrezzando, eccome, per rispondere colpo su colpo alla sfida mafiosa. Non ci sarebbe stata tregua e, alla fine, la sfida sarebbe stata vinta per il bene della nostra democrazia». E pareva pure vero!

Palermo intanto stava a guardare. C'era chi si schierava apertamente dalla nostra parte e chi, tutt'altro che apertamente, dall'altra. Il «ventre molle» si godeva lo spettacolo, «aspettava di vedere come sarebbe finita la corrida» ripeteva Falcone.

«La mafia si combatte a Palermo, ma si vince o si perde a Roma» dissi un giorno a Giovanni, Paolo e Di Lello, la mente più politica del pool. Era la verità, ma era anche un modo per esorcizzare quell'atteggiamento della nostra città che non ci piaceva, anche se non ci meravigliava.

La frase che più spesso, in ostentata confidenza, mi sentivo ripetere dai miei amici era: «Giuseppe, ma chi te lo fa fare?». Un po' mi imbarazzava, ma sentivo che non dovevo deludere quella che voleva essere una premurosa attestazione di affetto e rispondevo così: «Non lo so, ti assicuro, magari ne riparliamo più in là». A quel punto, ricevuta la puntuale pacca sulla spalla, svicolavo. Ma di che razza di amici si circonda Ayala, qualcuno potrebbe chiedersi. Rispondo: la razza è quella siciliana, la mia, con i suoi pregi e i suoi difetti. Come tutte le altre, del resto. Se mi si perdona la generalizzazione, alla quale cedo solo per comodità di ragionamento, il punto è che il siciliano non è affatto filomafioso, come con sbrigativa approssimazione molti credono. Non è, però, al tempo stesso sufficientemente antimafioso, anche se della mafia farebbe volentieri a meno.

Il mafioso, infatti, specie se di un certo rango, viene percepito per quello che è: un uomo potente. L'atavica abitudine a subire il potere in quanto espressione, come dice Tomasi di Lampedusa, «di governi sbarcati in armi da chissà dove, subito serviti, sempre detestati, e sempre incompresi» ha lasciato un segno profondo. Il potere in quanto tale, a prescindere dalla sua legittimazione, va fiutato, servito, ma soprattutto sfruttato.

Il siciliano, per evidenti ragioni storiche, non possiede la cultura del diritto, perché conosce solo quella del favore. E chi più del potente ne è l'erogatore naturale? Il diritto, poi, è per definizione regolato, gode di un riconoscimento ma, al tempo stesso, soffre necessariamente di limiti. Il favore, invece, non è regolato. È una sorta di diritto prêt-à-porter. Ognuno può proporlo a seconda del gradimento. Una specie di bricolage, più flessibile e, quindi, assai più comodo.

La mediazione del favore, negatrice del diritto, ha esaltato al massimo la percezione e, quindi, il fascino del potere. Esiste, forse, un solo posto al mondo in cui vale un proverbio che recita «cumannari è megghiu di fùttiri». Non a caso, nessuno è più veloce di un siciliano nel salire sul carro del vincitore.

La mafia, a sua volta, da quella mediazione trae la sua stessa origine, la fonte di legittimazione e la continuità. L'articolazione delle sue attività è la più varia – non c'è corda del crimine che non venga toccata – ma tutto questo esula e, paradossalmente, non altera il suo ruolo sociale, che rimane imperniato su quella mediazione: la circolarità del favore, alimentata per un verso dalla accondiscendente disponibilità a concederlo e, per l'altro, dalla suadente pretesa a esigerlo.

Al pari di ogni altro potere, non suscita nel siciliano un'adesione. Determina, piuttosto, una sudditanza e, con essa, la possibilità di sfruttarne il favore che, come la «pecunia» dei romani, dalle nostre parti «non olet».

L'invito del capomafia nei migliori salotti della città non segnala una scelta di campo, ma un'opportunistica accettazione del ruolo. Al suo posto, infatti, sedeva la sera prima il prefetto, cui seguirà il cardinale, l'onorevole e così via. Tutti quelli, insomma, che possono, se richiesti, dispensare favori e che è meglio tenersi buoni in ogni caso. Il senso civico, inteso come coscienza dell'appartenenza a una comunità, è del tutto ignoto. L'esaltazione dell'individualismo non trova limiti se non nella dimensione della famiglia, unica forma di nucleo sociale riconosciuta, talvolta in modo esasperato. La classe politica viene, perciò, selezionata esclusivamente sulla base di un rapporto clientelare. Il politico più apprezzato non è quello che è stato capace di dare risposte a interessi generali, ma quello che è riuscito a fare più favori, perché è questo che l'elettore pretende.

Il circuito diventa perverso, in quanto il personale politico espresso da un tale meccanismo, tranne qualche lodevole eccezione, non può che comportarsi di conseguenza, pena la perdita del potere. La gestione delle pubbliche risorse si risolve, perciò, in un selvaggio «arraffa, arraffa», che parte dal sussidio agli indigenti per arrivare ai grandi affari. Chi arraffa di più – politici compresi, s'intende – è il più bravo e il sentimento che, così operando, eccita non è la riprovazione, ma l'apprezzamento, condito con quel pizzico d'invidia che non guasta. «Non conosco la vergogna» sarebbe un ottimo slogan per costoro. Il più rassicurante per la raccolta del consenso: non per tutti, ma neanche per pochi.

Un siffatto contesto sembra inventato apposta per favorire gli interessi mafiosi, la cui soddisfazione, non a caso, impegna un'elevata percentuale di quelle risorse. È bastata un'occhiatina alla prima industria siciliana, la sanità, per scoperchiare un verminaio ancora tutto da esplorare. La mafia è soprattutto una lobby e come tale si comporta.

Scrivevo su «MicroMega» nel dicembre 1988:

> Il rapporto tra mafia e classe politico-burocratica si concretizza, per un verso, sul piano elettorale e, per l'altro, su quello degli affari.
>
> L'osmosi tra i due piani è vivacissima. La situazione, sotto questo profilo, non è diversa da quella riscontrabile in relazione al potere politico centrale.
>
> La caduta dei valori che ha determinato il dilagante primato della politica degli interessi su quella delle idee, ha giocato un ruolo non secondario.
>
> La concentrazione del potere reale in pochi centri ben noti e la sua innegabile ispirazione clientelare, hanno reso sensibilmente più agevole e remunerativo il disegno volto a piegare quel potere agli scopi di Cosa Nostra ...
>
> La sentenza recentemente depositata a conclusione del primo grado del maxiprocesso di Palermo, fissa in ben centottantamila i suffragi di cui Cosa Nostra dispone nella sola provincia del capoluogo siciliano.
>
> Il dato è impressionante. E tale rimane anche se, per eccesso di cautela, lo si riduce alla metà ...
>
> Il contributo elettorale della mafia è quindi determinante nella elezione di alcuni esponenti politici ...
>
> La concentrazione delle preferenze su un candidato determinato, intanto ha un senso, in quanto sia da costui conosciuta ed accettata. L'unica ragione per cui viene offerta non risiede in spinte ideali, o sentimentali, ma in precisi calcoli pragmatici. È destinata ad assicurare una concreta risposta, un ritorno contabile.
>
> Gli equivoci hanno spesso confuso le idee in materia. Il principale cade nel prossimo rigo.
>
> Chi prende i voti dalla mafia ne è perfettamente cosciente. Non foss'altro che per la loro quantità, nessuno può non accorgersene. Dichiarare pubblicamente il contrario, equivale a nient'altro che ad una grossa fandonia ...
>
> La lobby mafiosa dispone così di una rappresentanza politica alla

quale è affidato il compito di assicurarle nuovi profitti e di concorrere a consolidarne il potere.

Sono passati vent'anni e non c'è da cambiare neanche una virgola!

Un corollario: la mafia non è affatto figlia del sottosviluppo, come si vuol far credere, per la semplice ragione che ne è la madre. Per rendersene conto, è sufficiente misurare quanto è lunga la schiera di imprenditori che si astengono dall'investire in Sicilia per timore di diventarne vittime. Il tutto a scapito degli stessi siciliani, che perdono nuove opportunità di lavoro, di benessere e di crescita civile.

Se, per ipotesi, John Fitzgerald Kennedy rivolgesse alla «casta» siciliana il famoso appello: «Non chiedetevi cosa il Paese può fare per voi, chiedetevi cosa potete fare voi per il Paese!» la risposta sarebbe pronta: «Che cosa possiamo fare? Ma noi già lo stiamo facendo. Quello che c'è da mangiare ce lo mangiamo, ma non da soli». «Mancia e fa manciari», questa è la regola. L'opposizione politica in Sicilia ne sa qualcosa? Il digiuno senza trasgressioni, d'altronde, che digiuno è?

Lo squallore è ormai tale da assumere in qualche caso persino le sembianze della macchietta. Una volta tanto tragica, però.

L'autonomia speciale, concessa alla Sicilia prima del varo della Carta costituzionale, è servita soltanto a risolvere definitivamente l'antica querelle su chi aveva governato peggio l'isola. I greci o i romani? Gli arabi o i normanni? I francesi o gli spagnoli? I Borboni o i Savoia? I siciliani li hanno superati tutti: il loro primato dal 1946 a oggi risulta imbattuto; e tale è destinato a rimanere. Si è così trovata la risposta a un'altra antica diatriba. La Sicilia è l'isola più a sud d'Europa o è quella più a nord dell'Africa? Fate voi.

Una battuta chiarisce, senza animosità, il concetto. Tanto per rimanere nell'ultimo millennio, bisogna riconoscere che il percorso è stato lungo e tormentato. È partito da Federico II di Svevia, *Stupor Mundi*, per arrivare a Totò *vasa vasa*.

Il primo ci conquistò militarmente, il secondo democraticamente. Ne abbiamo fatta di strada! Ma il merito, questa volta, è proprio tutto nostro. Quanto è attuale l'antico monito: «Ogni popolo ha il governo che si merita».

Un'immagine: il visitatore, che intenda ammirare i resti della grande civiltà greca nella Valle dei Templi, abbia l'accortezza di osservarli con le spalle rivolte alla città di Agrigento. Se vuole, poi, catturare una testimonianza della più recente storia della Sicilia, compia un giro su se stesso di centottanta gradi. Si troverà davanti lo scempio edilizio definito «il sacco di Agrigento». Ecco come in un fazzoletto di terra potrà cogliere, da un lato, la grandezza del passato e dall'altro la miseria del presente.

La verità è che continuare a chiamare «Stretto di Messina» il braccio di mare che separa l'isola dallo stivale è un eufemismo: non è stretto, è largo, anzi larghissimo, tanto quanto basta a stabilire dove finisce il continente europeo e dove comincia una terra che con quello ha ben poco a che vedere, perché è un universo a sé stante. Altro che gettare ponti! Il cemento armato avvicina luoghi, non mentalità.

Un'altra Sicilia, diversa e migliore, c'è e sta anche crescendo. Non ha un solo colore politico ma nemmeno i numeri. Rimane minoranza. Ce la farà? Me lo auguro, ma io non sarò lì a festeggiare, perché me ne sarò andato per sempre in compagnia dell'aggettivo che Leonardo Sciascia dedicò a Palermo: «irredimibile».

Il potere vissuto come imposizione tarderà ancora un bel po' a lasciare il posto a una sua più moderna percezione, se mai arriverà. Non è facile, d'altronde, dissolvere il lascito coloniale di almeno venticinque secoli di storia.

Un editoriale del «Sole24Ore» di qualche anno fa, firmato dal sicilianissimo Antonio Calabrò, titolava: *Commissariare la Sicilia*. Sarei anche d'accordo, se avessi garanzie su chi quel commissario dovrebbe nominare. Ma chi me le dà?

Non solo Palermo stava a guardare. La parte meno limpida della politica, quella aperta all'accoglimento delle istanze mafiose, era disorientata e compì la stessa scelta. Gli abituali interlocutori ormai erano caduti tutti sul fronte della guerra palermitana. I successori ancora non c'erano, perché il disegno egemonico dei Corleonesi non era stato portato a compimento. La fase era di transizione. Tanto valeva attendere.

La valutazione del fronte giudiziario, il nostro, non era ben definita, anche se, dal punto di vista mafioso, le aspettative non erano buone. I segnali che provenivano dal mondo politico erano, nel peggiore dei casi, neutri.

L'Anm, maestra nel saperli cogliere, si adeguò. Le polemiche improvvisamente scemarono. Borsellino e Di Lello, gli unici tra noi impegnati nell'attività correntizia, si illusero di raccogliere il frutto dei contatti, delle spiegazioni e dei chiarimenti, che non si erano risparmiati di diffondere nell'ambito delle rispettive correnti: per Di Lello quella più a sinistra, Magistratura democratica, e per Paolo quella più conservatrice, Magistratura indipendente.

Non era calma piatta, ma ci somigliava. La nostra attività se ne avvaleva: le polemiche e gli attacchi, per quanto pretestuosi, finivano sempre con il riflettersi negativamente sui nostri ritmi, non foss'altro perché sprecavamo tempo a commentarli. Senza riuscire mai a darcene una ragione.

Nel frattempo le commissioni rogatorie, al di qua e al di là dell'oceano, mi segnalarono un particolare sintomatico di un'evoluzione positiva che comunicai a Falcone.

In tutti i Paesi che avevamo visitato eravamo stati accolti con disponibilità e cortesia. I vari governi, informati della nostra presenza, predisponevano ogni necessario supporto. La credibilità che, soprattutto grazie a Giovanni, ci eravamo conquistati, suscitava curiosità e interesse crescenti. «Perché non dovrebbe succedere anche in Italia?» mi chiedevo.

Le nostre trasferte cominciarono a prevedere una serie di incontri «informali», che ci venivano richiesti da magistrati, forze di polizia ed esponenti politici. Il che, per un verso, ci impegnava molto, ma per l'altro risultava utilissimo a consolidare quei rapporti di reciproca cooperazione, decisivi per contrastare una criminalità senza confini.

Sull'altra faccia della medaglia c'erano i sistemi di sicurezza approntati per proteggerci: le macchine corazzate e le guardie del corpo si moltiplicarono. Gli alberghi scelti per ospitarci erano per lo più fuori città. Un'intera ala veniva requisita per l'alloggio nostro e degli uomini armati che, a turno, passavano la notte nel corridoio antistante le nostre camere. Anche il banale piacere di un buon ristorante ci venne negato. Pasti esclusivamente in hotel.

In un'occasione, a Bruxelles, fummo prelevati sotto la scaletta dell'aereo e infilati in una Mercedes nera. Preceduti e seguiti da almeno altre tre automobili, fummo trasportati verso il carcere per interrogare un certo Gillet, trafficante internazionale di stupefacenti, che ci fornì preziose indicazioni su molti mafiosi con cui era stato in affari. Alla fine giungemmo in un albergo in prossimità del carcere, che distava qualche chilometro dalla città. Cena e buonanotte. L'indomani mattina un aereo ci attendeva per riportarci a casa. Prima di partire, bussai alla porta di Giovanni e gli dissi: «Senti, quasi tutte le città dove siamo stati, io già le conoscevo. Il caso vuole che a Bruxelles non sono mai stato. Se non ti dispiace, almeno la Grand Place la vorrei vedere. Così... per saperne parlare. Che ne dici?». «Non è possibile. Non lo hai visto che razza di sistema di sicurezza hanno organizzato? E noi, come se nulla fosse, chiediamo: scusate ce la fate vedere la Grand Place? Giuseppe, ascoltami, figura di merda assicurata.» Raggiungemmo la giusta mediazione: avremmo visto la Grand Place senza scendere dalla macchina. Meglio che niente. A queste condizioni ci venne accordato. In aeroporto comprai un cartolina con la foto di quella piazza e durante il volo la mostrai a Falcone, dicendogli: «La vedi questa? Io ci sono statooo e tu pureee!». Era la demenzialità a cui non resisteva. Ridemmo, era salutare.

Gli Stati Uniti erano diventati per Giovanni una specie di seconda patria. Gli americani lo entusiasmavano per il loro modo di operare, tutto all'insegna dell'organizzazione, della pianificazione e dell'efficienza. Parole poche, fatti molti, proprio come piaceva a lui.

Aveva instaurato rapporti personali leali e amichevoli, in particolare con Rudy Giuliani, futuro sindaco di New York, Louis Freeh, futuro capo dell'Fbi, e Charles Rose, che si succedettero nel tempo alla procura distrettuale di Manhattan, nostro abituale interlocutore. Riceveva, a sua volta, la loro incondizionata fiducia e una stima che si protrarrà fino alla fine e oltre.

Anni dopo il nostro primo incontro, Rudy Giuliani seppe che mi trovavo nella Grande Mela e mi pregò di dare un contributo alla sua campagna elettorale.

Organizzò un incontro a due alla presenza di stampa e tv. Si parlò soprattutto del contributo decisivo che il candidato sindaco aveva dato alla collaborazione tra i nostri Paesi per una più efficace lotta al crimine organizzato. Nel momento in cui si accingeva a parlare del ruolo avuto da Giovanni Falcone, si alzò in piedi e solo dopo pronunciò, abbracciandomi con gli occhi visibilmente lucidi, «the name of our great friend». Tutti i giornalisti presenti, a quel punto, si alzarono a loro volta e salutarono quel «name» con un lungo, commosso applauso.

A Giovanni venne dedicata una statua che fu collocata nell'atrio della scuola dell'Fbi a Quantico (Virginia), perché tutti i futuri agenti vi passassero davanti almeno due volte al giorno. Così mi fu spiegato quando intervenni alla cerimonia in onore del mio amico.

Il Congresso americano votò all'unanimità una risoluzione che rivendicava l'uccisione di Falcone come un delitto commesso anche in danno degli Stati Uniti d'America.

Un amore ricambiato. Ma anche una conferma: «Nemo profeta in patria».

VIII
«Mi chiamo Tommaso Buscetta»

Era l'inizio dell'estate 1984 quando la polizia brasiliana arrestò Tommaso Buscetta, raggiunto anche da un nostro mandato di cattura internazionale emesso un paio d'anni prima. Giovanni, volato subito a Brasilia, se lo trovò davanti nell'aula di quella Corte federale.

L'interrogatorio seguì il solito cliché sino a quando Falcone chiese all'imputato di parlare della mafia. Contrariamente a quanto accadeva sempre, Buscetta non rispose con la frasetta: «Non so a cosa lei stia facendo riferimento, è una parola che ho letto solo sui giornali...». Usò, invece, una battuta: «Ci vorrebbe una notte intera, signor giudice… mi scusi, sono stanco».

Appena rientrato a Palermo, Giovanni mi telefonò invitandomi a raggiungerlo a casa, una villa di Mondello poco distante dalla mia, che aveva preso in affitto per il periodo estivo. Mi raccontò del viaggio e, a un certo punto, mi guardò fisso negli occhi, dicendomi: «Posso anche sbagliarmi, ma secondo me Buscetta è pronto a collaborare. La sua risposta alla domanda sulla mafia me lo dici tu che altro senso può avere?». «Te lo do io il senso. Sei sotto l'effetto del jet lag! Fatti una bella dormita. Domani ne riparliamo» gli risposi, lasciandogli intendere che la sua ipotesi non mi convinceva per niente.

La richiesta di estradizione che avevamo già trasmesso per via diplomatica alle autorità brasiliane venne accolta. Gianni De Gennaro partì subito per il Brasile e il 15 luglio riportò in Italia Buscetta, nel frattempo miracolosamente scampato a un tentativo di suicidio tutt'altro che simulato, come pure fu ipotizzato. De Gennaro, che durante il viaggio si era speso con successo affinché l'intuizione di Giovanni si rivelasse fondata, non lo portò in carcere, ma in una comoda cella improvvisata all'interno del palazzo della questura di Roma. L'incolumità di Buscetta lì sarebbe stata garantita. In carcere lo sarebbe stata molto meno.

La legge non prevedeva a quel tempo una tale possibilità. Non esisteva alcuna normativa che riguardasse i collaboratori di giustizia e Buscetta altro non era che un detenuto come tanti altri. Si trovò, comunque, il modo per dare a quella scelta necessitata una dignitosa parvenza di legalità.

Il primo interrogatorio si tenne nel mese di luglio, l'ultimo a settembre. I verbali sono tutti manoscritti da Falcone con calligrafia chiara e senza traccia di correzioni, come sempre. Ho partecipato nel tempo a svariate decine di interrogatori condotti da lui e mai ho visto un difensore chiedere, come spesso accade, una modifica a quanto verbalizzato da Giovanni. Era semplicemente impeccabile. Una garanzia anche per l'imputato.

Buscetta si era deciso a compiere il grande passo. Sembrava impensabile e invece era vero. Si sentiva con le spalle al muro, sapeva di essere stato condannato a morte da quelli che, per una vita, erano stati suoi sodali. Non se ne dava una ragione, ma non era più disposto a tenere a freno il «fortissimo spirito di rivincita che lo animava», secondo la definizione di Falcone. Quello che, ancor di più, gli impediva di comprendere il senso della sua condanna risiedeva nel fatto che gli ex amici, non essendo riusciti a scovarlo per eseguirla, avevano ucciso i suoi due figli maschi, il marito della figlia, un cognato, un fratello e, infine, il figlio di quest'ultimo. Una vera carneficina.

Il primo pensiero di Buscetta fu sicuramente quello di organizzare una vendetta da par suo. Non disponeva, però, degli strumenti necessari. Era latitante in Brasile, per di più nella condizione di braccato, mentre a Palermo non aveva a chi rivolgersi. I suoi complici, ormai, li avrebbe potuti trovare in un solo posto: al cimitero. Ne prese atto e li sostituì con i giudici e i poliziotti. Non lo avrebbe fatto se non avesse incontrato gente di cui si fidava, ma la trovò, senza cercarla, a Brasilia in una calda mattina di quel giugno: Giovanni Falcone era l'uomo giusto e Gianni De Gennaro pure.

Volle precisare, prima di tutto, che lui era un mafioso e non un «pentito». Erano gli altri ad aver tradito il codice d'onore. Lui, invece, mai, e lo rivendicò. Non aveva, da mafioso, nulla di cui pentirsi. Per la prima volta decise di rispondere con la verità. La polizia brasiliana lo aveva torturato, arrivando a strappargli tutte le unghie dei piedi. Le uniche parole che riuscirono a fargli pronunciare furono: «Mi chiamo Tommaso Buscetta». Lo imbarcarono allora su un aereo e, quando si trovarono ad alta quota nel cielo di San Paolo, aprirono un portellone e minacciarono di lanciarlo nel vuoto. Niente, silenzio assoluto. Ci provarono anche con le scosse elettriche, il risultato non cambiò. Non era uno che parlava Buscetta, se non aveva voglia di farlo. Falcone gliela fece venire.

Le sue rivelazioni possono essere suddivise in due filoni: una ricostruzione degli eventi, a partire dalla strage di Ciaculli del 1963; una completa descrizione dell'organizzazione mafiosa, della sua struttura e delle regole di comportamento più significative, con una sorprendente precisazione: la parola mafia non viene mai pronunciata dai mafiosi. È «Cosa nostra» il termine adoperato per indicare l'associazione.

Non è esagerato definire «storico» il contributo fornito da Buscetta: un gruppo di uomini, senza aver prestato il giuramento di affiliazione alla mafia, veniva introdotto al suo interno per conoscerla direttamente. Non era mai successo. Nobilitando, forse esageratamente, quell'evento mi venne in mente un paragone che manifestai ai colleghi: «Buscetta è Virgilio, Dante è Falcone, Cosa nostra è l'Inferno». Al di là dell'irriverente accostamento letterario, era proprio questa la sensazione che provavamo durante la lettura dei verbali: un viaggio alla scoperta di un mondo tanto ignoto quanto terribile.

L'utilità processuale di quelle 329 pagine era gigantesca, perché, oltre alla parte riguardante le singole responsabilità delle tante persone menzionate, la rivelazione dell'impianto verticistico di Cosa nostra rafforzava ancora di più l'impostazione unitaria dell'istruttoria che avevamo scelto. L'apparentemente variegata articolazione di centinaia di delitti era, in realtà, tutta riconducibile al nucleo di comando, la cosiddetta «commissione» o «cupola» e, per i crimini meno eclatanti, alla gerarchia interna di ciascuna famiglia.

L'esempio del mosaico che avevo proposto a Falcone risultò perfetto, nel senso che, oltre alle tessere, avevamo ora anche il reticolato in cui inserirle per ottenere l'immagine completa. Ironia della sorte: Cosa nostra diventava tale anche per noi. L'avevamo davanti, finalmente.

Gli interrogatori si tennero a Roma, dove Giovanni si recava a giorni alterni, partendo la mattina e tornando a sera inoltrata. Il primo problema riguardò la riservatezza, che doveva essere assoluta. La bomba da far scoppiare l'avevamo noi, questa volta, ma nessuno doveva sospettarlo. Il sistema fu il seguente: Giovanni viaggiava esclusivamente con voli di Stato, non solo per motivi di sicurezza, ma anche perché, se avesse usato voli di linea, la incessante ripetitività della sua presenza a bordo, sempre sulla medesima tratta, avrebbe potuto insospettire qualcuno. Le comunicazioni telefoniche tra noi, durante le giornate di interrogatorio, furono abolite. Nessuna notizia da Roma né viceversa. Le riunioni, al ritorno di Giovanni, avvenivano nel giardino della sua villa, dove ci recavamo alla spicciolata per dare meno nell'occhio.

Usavamo il tavolo da ping pong, tante erano le carte da esaminare per organizzare la ricerca dei necessari riscontri ai contenuti dei verbali. I quali venivano, poi, tutti consegnati a Caponnetto, che li custodiva in cassaforte senza estrarne neanche una copia. Durante gli incontri li leggevamo, ognuno di noi prendeva appunti per lo sviluppo e l'approfondimento dei vari filoni d'indagine, che ci dividevamo per «aree di competenza» non rigidamente prefissate, ma flessibili rispetto alla funzionalità complessiva. Le mie, per esempio, riguardavano gli omicidi della guerra di mafia e alcuni settori del traffico di stupefacenti.

Il problema non era solo fare bene ma, ancor di più, non perdere tempo. Quanto poteva durare quella ferrea segretezza? Era la nostra principale preoccupazione. Una ragionevole previsione ci portava ai primi d'ottobre.

E invece, la mattina del 28 settembre, Falcone, conversando con un giornalista, ebbe netta la sensazione, rivelatasi poi del tutto immotivata, che una «fuga di notizie» fosse in agguato. Il lavoro, per la verità, era quasi pronto, per cui si decise di anticipare i tempi. A quando? A subito, in perfetto stile falconiano.

I mandati di cattura da emettere erano 366, ciascuno dei quali constava di decine e decine di pagine. Si mise in moto la macchina dell'ufficio istruzione: il testo della lunga e articolata motivazione veniva ultimato da Falcone e Borsellino, mentre le parti già completate erano in macchina per la fotocopiatura. Una catena di montaggio regolata da un'attività più che frenetica.

Ma la frenesia, si sa, può fare qualche scherzo. E quella notte lo fece: nella concitazione si dimenticarono di Di Lello. Il quale, dopo essere stato a cena con me, se ne tornò a casa, tranquillo perché all'oscuro dell'allarme appena scattato. Alle quattro del mattino, in pieno sonno, venne svegliato dall'insistente suono del citofono. Si alzò e andò a rispondere. Dall'altra parte una voce, ferma e decisa: «Carabinieri. È il giudice Di Lello?». Peppino, sorpreso e anche un po' perplesso, rispose: «Sì, sono il giudice Di Lello, mi dica». «L'attendiamo, abbiamo l'ordine di portarla al più presto al Palazzo di giustizia.» «Scendo subito» fu la risposta. Per sua fortuna non ebbe il tempo di chiedersi ancora una volta: «Ma che minchia è successo?» perché ricevette in quel momento una telefonata di Paolo Borsellino che, con tono diretto e sbrigativo come d'abitudine, lo richiamava all'ordine: «Sì vabbè, non ti abbiamo avvertito, scusaci. Solo che qui c'è da firmare, anzi devi mettere un casino di firme. Prima arrivi meglio è!». Si narra che Di Lello, pur di sbrigarsi, si sia recato a fare il suo dovere indossando ancora il pigiama, seppure coperto da un dignitoso impermeabile; ma questa, forse, è leggenda.

La raffica di mandati di cattura piombò sui destinatari l'indomani, il 29 settembre 1984. I latitanti si ridussero a un'esigua minoranza. Intere famiglie mafiose furono trasferite in

Il prefetto di Palermo, generale
Carlo Alberto Dalla Chiesa. (*Olympia*)

Palermo, 4 settembre 1982:
il cartello che apparve sul luogo in cui
fu ucciso il generale Dalla Chiesa.

Ninni Cassarà, Giovanni Falcone e Rocco Chinnici.
Questa foto fu spedita alla questura di Palermo come minaccia a Falcone,
unico dei tre ancora in vita. (*Franco Zecchin*)

Alfredo Morvillo. (*Olycom*)

Vincenzo Pajno. (*Adriano Alecchi*)

Giuseppe Ayala con Antonino Caponnetto.

Paolo Borsellino e Ayala. (*Team Editorial Service*)

Falcone e Ayala a Parigi.

Borsellino, Ayala e Falcone in Brasile.

Ayala, Francesca Morvillo e Falcone in Egitto.

Tommaso Buscetta, 27 ottobre 1984.

Domenico Signorino, Ayala e Falcone.

L'aula del maxiprocesso. (*Olycom*)

Sciascia accusa

«C'è chi trae personale profitto anche dalla lotta contro la mafia»

Leonardo Sciascia (nella foto) **affronta in un articolo che pubblichiamo in terza pagina alcuni dei più inquietanti aspetti della lotta contro la mafia. Lo scrittore siciliano, anche sulla base degli studi dello storico inglese Christopher Duggan sulla Sicilia del ventennio, sostiene che oggi, come ai tempi del prefetto Mori, esistono uomini pubblici che esibiscono a parole il loro impegno contro le cosche e trascurano i propri doveri amministrativi. Insomma, c'è sempre chi trae personale profitto dalla stessa lotta contro le cosche.**

I professionisti dell'antimafia, l'articolo di Leonardo Sciascia apparso sul «Corriere della Sera» il 10 gennaio 1987.

I professionisti dell'antimafia

La documentatissima analisi dello storico inglese Christopher Duggan sul fenomeno criminale sotto il regime mussoliniano - Anche nel sistema democratico può avvenire che qualcuno tragga profitto personale dalla lotta alla delinquenza organizzata - Uomini pubblici che esibiscono a parole il loro impegno contro le cosche e trascurano i propri doveri amministrativi

Il prefetto Mori a Piana dei Greci dopo un'azione contro la mafia.

Nel primo fascismo

Le guardie del feudo

Per far carriera

La Sicilia nel Ventennio vista da Mack Smith

959/89 om. Lo Cascio Dom.
1182/89 Greco M. → om. [illegible]
6506/90 om. Antonio Arfelli
6504/90 Semofa e fil. Monreale
→ om. Sciarrelli
5526/90 om. Scozzari Ant.
5525/90 om. Bettino Marciano
5524/90 om. Salvat. Rizzuto
6505/90 F. Stafore, G. Stafore,
R. Riccobono, E. D'Agostino
→ om. Di Marco
6507/90 Montalto Salvatore →
om. Baiamonte Francesco
3938/90 om. Fucato Andrea
256/90 om. La Barbera Salv.
3291/90 incendio al com.
Misilmeri
4301/90 om. Metisi Vito

Un appunto di Falcone per Ayala contenente l'elenco di alcuni processi.

Ayala e Falcone in vacanza al mare.

La strage di Capaci. (*Olycom*)

Via d'Amelio, il giorno dell'attentato. (*Olycom*)

sette carceri di massima sicurezza, situate soprattutto nel Centro-Nord. Nessuno fu rinchiuso all'«hotel Ucciardone» di Palermo: questa volta si faceva sul serio. L'effetto sorpresa c'era stato, l'impenetrabile segretezza che ci eravamo imposti aveva funzionato. Nulla era trapelato durante i due mesi e mezzo di lavoro preparatorio. Un caso più unico che raro.

L'operazione antimafia più importante del XX secolo fu giornalisticamente definita «il blitz di San Michele» e provocò reazioni vaste e contrastanti. La stragrande maggioranza era di apprezzamento, più a Roma che a Palermo, più all'estero – Stati Uniti in testa – che in Italia.

Gli ambienti più contigui alla mafia accusarono il colpo, ma si impegnarono subito a mettere in piedi il primo atto di una strategia di delegittimazione che sarà portata avanti a lungo: «Buscetta è lontano da Palermo da troppi anni, che ne può sapere dei fatti più recenti? Avrà detto quello che gli hanno voluto far dire... Non avrà il coraggio di ripetere le sue accuse al processo, davanti a tutti... E poi le prove dove sono? Che credibilità possono avere le dichiarazioni di un delinquente incallito? Il pentitismo è la barbarie della giustizia, la morte dello Stato di diritto» e così via. Erano furiosi, le loro talpe si erano rivelate un fallimento. Per questa volta li avevamo battuti, e non sarà l'ultima.

Il quotidiano locale andò oltre, affidando i suoi editoriali a una firma sino ad allora sconosciuta, quella di un magistrato di primissimo pelo che scriveva scomodando citazioni di grandi giuristi del passato e filosofi di tutte le epoche e tutte le latitudini: una sorta di trattatello a puntate del perfetto giudice, con la evidente pretesa di dimostrare che noi, invece, eravamo tutt'altro. «Diffidate gente, diffidate!» era il messaggio, sottolineato da attacchi diretti e pesanti. Leggevamo tra incontenibili risate. Perfino Caponnetto, che mai si lasciò contagiare dal nostro sarcasmo, racconterà a Saverio Lodato: «Io e Paolo commentammo, ridendo, uno di questi articoli». Prendendo spunto dal *Gattopardo*, spiegai un giorno ai colleghi del pool: «Poveretto, "viene per insegnarci le buone creanze, ma non lo potrà fare, perché noi siamo dei"». Quel magistrato prestato al giornalismo si lasciò usare e coinvolgere in un gioco più grande di lui, ma non gli porterà fortuna. È scomparsa da tempo sia la sua firma di editorialista sia la sua presenza in magistratura. Pare faccia l'avvocato da qualche parte.

La forma, modellata da una vera e propria orgia di idiozie, ci faceva ridere, ma la sostanza non ci sfuggiva e, meno ancora, l'obiettivo: era il maxiprocesso prossimo venturo.

Il sistema di potere era uscito dal letargo e cominciava a reagire. La campagna denigratoria era aperta. «Il Giornale» di Milano si affiancò con il malcelato compito di sprovincializzarla. Non era la fine del mondo, ma il segnale era chiaro e un po' ci inquietò: non più di tanto, perché lo davamo per scontato.

Il quotidiano palermitano fu in quegli anni al centro di ricorrenti attacchi per il taglio scelto, ritenuto, a ragione, non certo di sostegno al nostro lavoro. Nessuna meraviglia: al pari di molti altri organi di stampa locali, il collegamento con l'establishment è tendenzialmente organico. La peculiarità di quello siciliano è che ne fa parte anche la mafia. La conseguenza è ovvia. Per questo ritengo sia stato un errore fuorviante averlo ribattezzato, come fecero in molti, «L'eco di Ciaculli», la contrada del «papa» Michele Greco.

Fu, più banalmente, l'eco della città che contava, di una fetta, quantomeno. La più dura. La mia nota generosità d'animo, unita alla conoscenza di uomini e cose, mi induce alla concessione di una benevola percentuale di non compiuta consapevolezza.

Il codice ci imponeva di interrogare gli imputati entro quindici giorni dalla notifica del mandato di cattura. Non erano pochi, ma il numero degli arrestati e la distanza da Palermo delle carceri che li ospitavano ci imposero, come al solito, di organizzarci al meglio. Furono costituite alcune coppie, un sostituto procuratore e un giudice istruttore, a ciascuna delle quali vennero assegnati i penitenziari dove avrebbero dovuto recarsi. Io ero l'unico non «monogamico», come, con un «guarda caso», sottilizzò Falcone.

In una prima fase il mio partner sarebbe stato Borsellino, carceri di Napoli e Rebibbia e, in una seconda, Peppino Di

Lello, carceri di Fossombrone e Ascoli Piceno. Giovanni fu all'unanimità esentato dal tour de force. Era quello che si spendeva da mesi più di tutti e ci sembrò giusto concedergli un momento di pausa.

Fu un tour faticosissimo, meno male che gli interrogatori si risolsero abbastanza in fretta. Gli imputati, come previsto, negarono anche l'evidenza: nessuno aveva mai conosciuto Buscetta che, comunque, era per tutti un «infamone». Non nascondo che vederne tanti in faccia, ascoltarli e pensare a cosa c'era dietro ciascuno di loro mi fece un certo effetto, anzi un pessimo effetto. La prospettiva delle severe condanne che avrebbero subito un po' consolava, ma non del tutto. La sfilza di bugie che ci venne elargita rese ancor più martellante un quesito al quale non riesco ancora a dare una risposta plausibile. Perché all'imputato, oltre al diritto di tacere che è sacrosanto, dev'essere riconosciuto anche il diritto di mentire spudoratamente? Se gli venisse negato, ne soffrirebbe davvero quello alla difesa sancito dalla Costituzione? Esiste forse un altro contesto in seno al quale qualcuno possa legittimamente sparare menzogne a piacimento? Non mi risulta.

Nel carcere di Napoli ci capitò di interrogare uno dei due o tre che avevano scelto un'originale linea difensiva: fingersi pazzi. Paolo non gradì la sceneggiata, però la ascoltò con pazienza e si rivolse poi verso di me dicendo, con tono calmo ma non basso, in strettissimo siciliano: «Mischino, chistu veru pazzu è. Che piatusu! Però furtunatu è, picchi accussì un capisci chi gran pezzu di merda ca è». Il mafioso incassò e portò in cella. Al maxiprocesso sarà condannato all'ergastolo e successivamente andrà ad allungare la lista dei pentiti.

La «tre giorni» con Di Lello fu massacrante. In quelle carceri era stato concentrato il maggior numero di imputati. Dopo l'ultimo interrogatorio, sfiniti, ci sedemmo in macchina per tornare a Roma. Avevamo una scorta di almeno quattro auto corazzate e non meno di una decina di uomini armati con indosso giubbotti antiproiettile. Erano le quattordici e Peppino aveva fame: «Senti, Giuseppe, non potremmo dire al caposcorta di fare una breve sosta per mangiare un panino? Magari in un posto appartato. Sai, Roma lontana è!». «Brillante suggerimento» commentai. Il caposcorta, che era della zona, aderì con evidente entusiasmo: «Un panino non saprei... però a un paio di chilometri conosco una buona trattoria... che anche ai fini della sicurezza non crea problemi». «Bene, ci fermeremo lì, grazie» gli dissi, mentre lo sguardo di Di Lello diventava languido. L'ingresso nel locale, quasi vuoto dato l'orario, paralizzò il personale di sala e i pochi altri astanti, di certo non abituati all'irruzione di uomini armati che, con fare deciso, prendevano posto ai tavoli. Il mio sguardo cercò quello del caposcorta, lo trovò. Il militare si appartò col proprietario che, un attimo dopo, rassicurato, si avvicinò a me e Peppino per proporci con orgoglio il meglio del menu. Riprendemmo il viaggio alle cinque: il panino si era trasformato in un pranzo pantagruelico. Quando arrivammo a Roma, e solo allora, il caposcorta ci svegliò.

Il rientro a Palermo confermò i sospetti sollecitati dal viaggio appena concluso. All'aeroporto fui prelevato da tre macchine corazzate. Gli uomini della scorta erano diventati sei, con armi spianate e il solito giubbotto antiproiettile. Arrivato nei pressi di casa, notai un blindato dei carabinieri posteggiato davanti al portone e l'assenza di automobili per un arco di almeno cento metri. Un cartello di divieto di sosta con minaccia di rimozione, nuovo di zecca, era la evidente causa di quell'improvvisa desertificazione del parcheggio. Gli uomini dell'auto staffetta bloccarono il traffico e, finalmente, potei fare ingresso nel portone, accompagnato da due ragazzi che mi scortarono sino alla porta di casa. Uno rimase sul pianerottolo: vidi lì una sedia e capii tutto. Il dispositivo, nel suo complesso, era il più completo e curato nei dettagli.

Durante il pranzo anticipai gli inevitabili commenti, ricorrendo a un piccolo sfogo ben recitato: «Che esagerazione! Queste precauzioni mi sembrano assolutamente fuori luogo. Domani proverò a farle ridimensionare. È uno spreco!». L'uditorio, colpito, imboccò la via consolatoria: «Vabbè, papà, pazienza. Certo, una bella seccatura è. Rassegnati però, ormai fa parte del tuo lavoro. Pensa a Giovanni» fu l'invito di Vittoria. Con un giro di sguardi, diedi chiari segni di paziente accettazione del suggerimento. Tutti avevamo recitato, con le parole e con i silenzi. La tecnica non era stata da Actors Studio, ma i sentimenti avevano ben sopperito. Anche questa era fatta.

L'indomani, avvilito, immolai sull'altare della libertà perduta la vittima sacrificale: la motocicletta, da cinque lustri fedele compagna della mia vita. La vendetti. A mio cugino, però, così almeno restava in famiglia.

Allora non potevo prevederlo, ma avrei vissuto scortato per diciotto anni e sei mesi. E non da settanta a ottantotto anni, ma da trentotto a cinquantasei, gli anni migliori, manco a farlo apposta.

La scorta non è sempre uguale e pesa sino a un certo punto finché ti lascia margini di trasgressione. Non nego, nei primi anni, di averne approfittato, come accadde in una primaverile, assolata domenica mattina. Avendo voglia di uscire, mi guardai bene dal telefonare all'ufficio scorte. Presi la motocicletta e me ne andai in giro. Sulla via del ritorno, mentre percorrevo una strada del centro, notai una giovane donna che chiedeva aiuto indicando un uomo che si allontanava correndo velocemente. Altre donne, affacciate al balcone, si unirono urlando all'appello della ragazza. Pur non rendendomi bene conto di cosa stesse succedendo, inseguii il fuggitivo per un bel tratto. Quando mi sembrò stanco e affaticato, scesi dalla moto e lo bloccai. Tenendolo ben stretto, tornai con lui a piedi sin dove l'inseguimento era cominciato.

Un folto gruppo di persone, che si era nel frattempo radunato, alla vista del giovane tentò di aggredirlo con fare molto minaccioso. Preoccupato, sbattei l'ostaggio dentro un portone aperto, che richiusi per salvarlo. Fui riconosciuto e seppi cosa era accaduto. Avevo catturato un delinquentello che aveva tentato di rapinare la giovane donna e di compiere su di lei atti di libidine. Sopraggiunse in quel momento un'auto della polizia. Consegnai ai poliziotti il malcapitato e, salutato dall'apprezzamento generale, ripresi la moto e me ne tornai a casa.

La mattina seguente la notizia del mio gesto occupava un

discreto spazio sulla prima pagina del «Giornale di Sicilia». Mentii ai ragazzi della scorta, raccontando che ero dovuto uscire per un improvviso malore di mia madre. Arrivai in ufficio. La mia segretaria mi informò che il procuratore generale mi cercava. L'incontro tra me, giovane scavezzacollo, e quell'autorevolissimo magistrato fu quasi tenero: «Peppino mio, ma come devo fare con te e con il tuo amico Borsellino? Al Comitato provinciale per l'ordine e la sicurezza mi batto continuamente per un rafforzamento delle vostre scorte e tu mi vai a catturare un rapinatore mentre sei a passeggio in motocicletta. Per non dire di Paolo che, spesso e volentieri, mi viene in ufficio di pomeriggio alla guida della sua macchina privata. Ma ti rendi conto della pessima figura che mi fate fare? Il giornale lo leggono tutti. Te lo immagini cosa dovrò sentirmi dire alla prossima riunione? Per favore, promettimi che è stata l'ultima volta!».

Come un bambino scoperto con le mani ancora sporche di marmellata, promisi solennemente che non sarebbe più accaduto. La conversazione si concluse con i complimenti del procuratore: «Comunque, Peppì, bravo! Sei stato coraggioso». Seguì un abbraccio. Sapevo da tempo di essere da lui molto benvoluto, ma l'affetto dimostratomi quella mattina andava oltre, quanto il mio nei suoi confronti. La stessa promessa fu richiesta a Borsellino, che si rifece su di me rimproverandomi: «Certo, se non finivi sul giornale meglio sarebbe stato. Sempre eccessivo sei, pure il rapinatore porco dovevi catturare!».

Riflessione sulle scorte: quasi tutte quelle che si vedono in giro non servono ad altro che a ingenerare nell'animo del presunto protetto la convinzione di essere qualcuno. Sono soltanto uno «status symbol». Comodo, perché risparmia lo stress della guida nel caotico traffico cittadino e, soprattutto, il dramma del parcheggio. In nessun altro Paese occidentale mi è capitato di riscontrare un'analoga quanto costosa e inutile proliferazione di uomini e mezzi. Se, in alcuni casi, non sono bastate neanche le scorte vere a salvare la vita dei protetti, mi chiedo a che servono tutte le altre che, non a caso, ho sempre definito «da salotto». La risposta l'ho già data. A meno che la protezione non riguardi anche il rischio delle pernacchie: allora qualcuna andrebbe ragionevolmente mantenuta.

Tutt'altra cosa è la scorta inserita in un sistema di sicurezza complessivo, destinato, cioè, a tutelare al meglio i pochi esposti realmente a rischi concreti. Il ragionamento diventa pesante e può riassumersi in un breve concetto: per salvarti la vita, devi prenderne alcuni pezzi e rinunciare a viverli. Anche per anni, se è necessario.

L'elenco dei no che, volente o nolente, sei costretto a subire riguarda: fare una passeggiata, andare al bar, comprare il giornale o fare shopping, uscire con i figli ecc. Nel frattempo ti passa pure la voglia di entrare in un cinema o in un ristorante. Non sono luoghi frequentabili da chi non può fare a meno di portarsi dietro un certo numero di guardie del corpo costrette a tenere spianate armi micidiali. Il prossimo va rispettato. La tua casa, intanto, rimane presidiata giorno e notte da un mezzo blindato e da altri militari disposti sul marciapiede antistante il portone, in portineria e sul pianerottolo. Se sei fortunato, l'estate ti offre la possibilità di trasferirti con la famiglia in una villa sul mare. La situazione non cambia per niente, e c'è in più il problema del giardino, che si risolve grazie alla collocazione di riflettori che lo illuminano durante la notte in ogni angolo, per consentirne la costante perlustrazione affidata a tre, quattro instancabili uomini con tanto di mitra.

Un'altra voglia che ti passa è quella di partire, tranne che per lavoro. E se decidi di farlo, le sorprese non mancano. Una volta, credo nell'estate del 1993, visto che non so da quanto tempo non facevo una vacanza con i miei figli, decisi di portarli con me per qualche giorno in montagna, a Cortina d'Ampezzo.

Un noto giornalista scrisse subito un articolo, pubblicato dal «Corriere della Sera», il cui senso era: «Ma che ci viene a fare Ayala a Cortina con le sue macchine blindate e le sue guardie del corpo? Non si rende conto del fastidio che arreca alla tranquillità delle vacanze di tante persone?». Rimasi più imbarazzato che incredulo. I miei figli scrissero una garbata lettera al direttore di quel giornale. Venne immediatamente pubblicata, accompagnata dalle scuse del destinatario e del giornalista. Almeno questo.

A Cortina, per fortuna, c'era qualcuno che la pensava diversamente. Una mattina mi trovavo in corso Italia, davanti a un negozio nel quale era da poco entrata mia moglie. Una nonna, che spingeva una carrozzina con dentro un bellissimo bambino, si avvicinò per dirmi: «Posso affidarle per pochi minuti mio nipote? Lei mi ispira tanta fiducia, conosco la sua storia». «Ma certo, signora, me lo lasci pure» risposi inorgoglito. Dopo qualche secondo sopraggiunse mia moglie. Mi guardò ed esclamò: «È proprio vero. Meglio non lasciarti mai solo. Sei capace di combinarla davvero grossa. Un bambino, addirittura. Esagerato!». La scorta che, con discrezione, mi aveva seguito a una certa distanza, si avvicinò incuriosita e divertita da quella battuta. Al suo ritorno, rassicurai la signora: «Ha visto in quanti siamo attorno al nipotino? Più al sicuro di così!». «Grazie, anche se sarebbe bastato lei da solo a farmi stare tranquilla. Ce ne vorrebbero tanti come il giudice Ayala!» esclamò, mentre mi salutava con un bacio sulla guancia. I passanti più vicini assentirono con convinzione. Me ne rallegrai. La sortita del «Corriere» bruciava meno.

La potrei fare lunga, molto lunga, tanto quanto gli anni che ho dovuto vivere in quelle condizioni, imponendole, a malincuore, anche ai miei familiari. Non vado oltre per due ragioni.

La prima: ho conosciuto e amato due persone con cui ho condiviso quella vita. Non ce l'hanno fatta, per loro è stata inutile. Per me no, e questo mi deve bastare. La seconda: ho ancora nelle orecchie un ammonimento profetico di Falcone, che riferisco testualmente: «Giuseppe, qualunque cosa accada, non dobbiamo cadere mai nella sindrome del reduce». Mi debbo fermare, ci stavo cadendo.

Sui ragazzi delle scorte che negli anni mi hanno protetto sento di dire qualcosa in più. Il rapporto che si stabilisce è quello di una reale convivenza di fatto. Nessuno l'ha voluta, non nasce da una scelta, ma da una imposizione. Il legame che ne deriva è lo stesso saldissimo, perché è cementato da un obiettivo comune: rimanere vivi. La solidarietà e l'affetto sgorgano naturalmente e creano una grande complicità, un'intesa. Ho voluto bene a tutti quelli che si sono succeduti nel tempo, come fratelli minori i primi, come figli quelli sopravvenuti. E sono stato ricambiato. Averli sempre vicini mi ha arricchito molto sul piano umano. Loro rappresentano la parte pulita e genuina del Paese che, specie quando si ha a che fare con tanto male, si rischia di non percepire più. Li ringrazio abbracciandoli e sono sempre felice quando, ancora oggi, a distanza di anni, si ricordano di me con una telefonata o una visita. Non arrivo a dire che mi mancano solo perché la libertà che ho riconquistato non ha prezzo. Ma continuo a sentirli accanto e non li dimentico. Loro lo sanno.

La fase calda del «blitz di San Michele» si chiuse con la fine degli interrogatori. Le dichiarazioni di Buscetta sortirono un altro effetto degno di nota: quello di convincere Totuccio Contorno a seguirne l'esempio.

Era anche lui un «perdente» e, dopo essere riuscito a sopravvivere a un attentato, si trovava detenuto in un carcere della Toscana. Aveva già collaborato in qualche modo con Ninni Cassarà, ma senza venire allo scoperto. Era lui il confidente indicato come «prima luce» nel rapporto dei 162.

Quando ricevette la visita dei nostri emissari che lo informarono della scelta di Buscetta, non si scompose. La notizia era clamorosa. Si limitò a chiedere di incontrarlo. Fu accompagnato nel rifugio segreto della questura romana. Il colloquio tra i due non si protrasse a lungo, giusto il necessario per avere conferma della collaborazione di Buscetta e, soprattutto, per ricevere dal padrino il benestare: «Totuccio, puoi parlare».

Contorno vuotò il sacco nei giorni immediatamente successivi, con la conseguenza che altri 127 mandati di cattura potarono un bel po' di rami di Cosa nostra.

Buscetta aveva evitato con cura di affrontare il capitolo dei rapporti mafia-politica. Non certo perché li negasse, ma perché convinto che «lo Stato non sarebbe in condizione di sopportare le reazioni che deriverebbero da eventuali mie dichiarazioni su questo argomento». Prendere o lasciare. Non poté, però, evitare di farne nei confronti di Vito Ciancimino e dei cugini Nino e Ignazio Salvo: le contestazioni mossegli da Falcone, sulla scorta degli elementi in nostro possesso, non glielo consentirono. Il suo racconto completò il «quadro probatorio». Il primo si trovava già al soggiorno obbligato, dove l'avevamo inviato sulla base di un'imponente serie di indizi ricavati dal robusto materiale raccolto dalla Commissione parlamentare antimafia. Materiale che, peraltro, lo aveva già costretto alle dimissioni da sindaco di Palermo a soli tre mesi dalla sua elezione nel 1970.

Ciancimino era stato, sul finire degli anni Cinquanta, assessore ai Lavori pubblici del comune di Palermo e, assieme al sindaco dell'epoca, Salvo Lima, veniva ritenuto l'ispiratore del famoso «sacco di Palermo», una delle più selvagge speculazioni urbanistico-edilizie che la storia ricordi. Aveva mantenuto nel tempo un altro ruolo cui teneva molto, quello di burattinaio dei più consistenti appalti pubblici della città.

Le più recenti indagini di polizia lo indicavano anche come grande riciclatore di danaro sporco, che veniva investito soprattutto in Canada. Buscetta aggiunse che era un «uomo d'onore», molto legato a Riina e Provenzano, che «lo tenevano in pugno». L'emissione di un mandato di cattura per associazione a delinquere di stampo mafioso a quel punto s'imponeva.

Avuto l'assenso di Pajno e degli altri colleghi, decisi di inoltrare la richiesta al giudice istruttore, scavalcando del tutto la prassi. Se l'avessi seguita, un certo numero di persone ne sarebbe venuto necessariamente a conoscenza: le dattilografe, gli addetti al registro dove venivano annotati i nostri provvedimenti, nonché il commesso che avrebbe materialmente curato la consegna della richiesta all'ufficio istruzione, dove altri l'avrebbero conosciuta prima dell'emissione del provvedimento. Anche se non nutrivo sospetti precisi, essendomi ben nota la serietà del nostro personale, il rischio che una talpa potesse informare il pesce prima che abboccasse mi sembrò concreto. Decisi, così, di scrivere la richiesta di mio pugno. La firmai, la misi in tasca e scesi da Falcone per consegnarla personalmente. Lui emise il mandato e lo affidò *brevi manu* a un ufficiale di polizia giudiziaria convocato appositamente. Nel primo pomeriggio di quel giorno, 3 novembre 1984, Vito Ciancimino venne rinchiuso nel carcere di Rebibbia. Solo allora, a provvedimento eseguito, ne curammo la trascrizione nei registri dei nostri uffici. La talpa, se c'era, era stata messa in condizione di non nuocere.

Qualche collega, chiacchierando nei corridoi del Palazzo, ebbe l'ardire di sottolineare l'assoluta irritualità della procedura di mia invenzione, ritenendo che potesse configurarsi quantomeno un illecito disciplinare, se non peggio. Non c'è niente da fare: non sapevano incassare.

I cugini Salvo erano stati tenuti al riparo dal silenzio di Buscetta il quale, però, a un certo punto capì che non poteva più insistere. Ne sarebbe rimasta, sicuramente, offuscata la sua credibilità. Venne fuori che erano «uomini d'onore» della famiglia di Salemi: non rivestivano particolari ruoli all'interno di Cosa nostra, ma costituivano l'anello fondamentale dei rapporti della mafia con la politica.

Nino Salvo aveva ospitato Buscetta, allora latitante, e famiglia nella sua villa al mare, a pochi chilometri da Palermo, per le vacanze di Natale del 1980. La descrizione di quella villa fu minuziosa e perfettamente corrispondente al reale stato delle cose, tranne in un particolare: non si trovava il camino che avrebbe dovuto troneggiare in salotto. Una più accurata ricognizione dei luoghi portò, per fortuna, all'abbattimento di un tramezzo, oltre il quale il camino fece bella mostra di sé. Riscontri completati. Fu una bella soddisfazione per me e Giovanni, che ci eravamo ostinati a non procedere quando gli altri colleghi erano di diverso avviso. Gli indizi, per noi allora carenti, adesso risultavano di una robustezza a prova di Cassazione.

Visto il successo del precedente, decisi di ripetere per filo e per segno la procedura sperimentata in occasione della vicenda Ciancimino. Questa volta ci incontrammo per definire il tutto una domenica mattina a casa Falcone. Era presente anche Vincenzo Pajno (altro che «amico dei Salvo»!). Seduto alla scrivania di Giovanni, scrissi la richiesta. Il mandato di cattura poté così essere consegnato, per l'esecuzione, a un ufficiale di polizia giudiziaria di sperimentata affidabilità: il dottor Tonino De Luca, convocato da Falcone per telefono. De Luca racconterà in seguito, con molta autoironia, di essersi chiesto: «Ma che cosa avrò combinato?» quando si ritrovò all'improvviso, di domenica, nell'abitazione del giudice Falcone, presenti, per di più, il procuratore della Repubblica in persona e un suo sostituto.

La notte successiva anche gli intoccabili Nino e Ignazio Salvo dovettero dimenticare le cinque stelle per sforzarsi di prendere sonno sulle scomode brande del carcere di Rebibbia. L'assetto di potere incassava in appena dieci giorni due colpi ben sferrati.

L'interrogatorio dei Salvo assunse toni e contenuti abbastanza inusuali. La testa pensante era con tutta evidenza Ignazio, che avevamo già avuto modo di conoscere. Misurò le parole, girò attorno al recinto delle ammissioni, senza scavalcarlo con decisione. Restava seduto sul bordo e si sporgeva ogni tanto con cautela e con il chiaro obiettivo di farci capire che temeva seriamente per l'incolumità sua e del cugino, ma anche dei familiari.

A quel timore, enunciato senza alcuna enfasi, affidava la risposta alle nostre domande: «Non siamo estranei all'associazione, ma non ne siamo stati mai protagonisti, tanto che ci ritroviamo dalla parte sbagliata. L'abbiamo più subita che voluta. Per ragioni che certamente non vi sfuggono, di più non posso dire». La verbalizzazione di Giovanni anche in quest'occasione fece miracoli.

Nino Salvo esibì un temperamento spavaldo, contenuto però da un affettato e quasi confidenziale rispetto. Si rivolse a noi facendo uso dei nomi anziché dei cognomi. Per lui eravamo dottor Giovanni, dottor Paolo e dottor Giuseppe. Indirizzò a me, in particolare, l'invito a lasciar perdere la complessa indagine che stavo conducendo sugli enormi contributi pubblici erogati dalla regione Sicilia alle sue aziende agricole. Non avrei, infatti, mai potuto imbattermi in una violazione della legge, per la semplice ragione che lui, al pari di tante altre che lo interessavano, la legge se l'era comprata pagando tutti i partiti. «E meno male che quell'indagine era riservatissima» pensai.

Qualche notizia dal Palazzo usciva, eccome. A pensar male... Quelle più importanti avevo trovato il modo di non farle filtrare. La tanto ossequiata prassi ordinaria ci avrebbe regalato tre latitanti in più. Quel giorno ne avemmo la definitiva certezza.

Per il resto, anche lui come il cugino ci lasciò intendere, sempre tra le righe, lo stesso timore. La tesi difensiva era identica. Nino morirà di cancro all'inizio del 1986, Ignazio sarà condannato per associazione mafiosa. La stessa che, nel novembre 1992, deciderà di chiudere la partita uccidendolo.

Esauriti i due interrogatori, la sera, assieme a Ninni Cassarà e Tonino De Luca, prendemmo un aereo per Rio de Janeiro, dove ci aspettavano gli ultimi accertamenti relativi alle dichiarazioni di Buscetta.

Non era stato facile convincere Borsellino a superare la paura del volo. Giovanni ne riconobbe a me il merito, ma è una storia che ho già raccontato.

Nella quiete di una saletta dell'Hotel Meridien di Copacabana, allietati dalle caipirinhas, ci ritrovammo a tirare le fila della situazione. Non impiegammo molto tempo, perché cogliemmo subito la coincidenza delle nostre valutazioni. La transizione era superata. La guerra di mafia era finita. I vincitori stavano consolidando il loro nuovo ruolo al vertice di Cosa nostra e, al tempo stesso, riattivando i canali di collegamento con il mondo dell'economia e, soprattutto, della politica. Il macello doveva finire: quel tipo di operazioni richiedono riflettori spenti. Il maxiprocesso non lo potevano più fermare, perché il solo modo teoricamente possibile avrebbe comportato un ulteriore innalzamento del livello di scontro militare con lo Stato. I referenti politici, però, ne sarebbero stati spiazzati, posti in serie difficoltà e costretti a prendere, sebbene controvoglia, le distanze. Né gli uni né gli altri lo volevano, l'interesse era comune. Risultato: si stava inaugurando una nuova fase di *pax mafiosa*. L'esito del maxiprocesso sarebbe stata la scadenza, il momento della verifica. Per ora, quindi, niente armi, il piombo sarebbe stato di altro tipo, quello delle rotative, che può far male ma non ammazza. La palla passava alla politica e le decisioni pesanti si sarebbero trasferite a Roma, come previsto. «Per farla breve, per ora non muore nessuno!» concluse Paolo, aggiungendo: «Aereo permettendo, s'intende». Scongiuri adeguati e un altro giro di caipirinhas posero fine alla rigorosa analisi.

Non eravamo né eroi, né supermen. Sapevamo usare il cervello, però, anche per governare la paura. Ci aiutava molto.

L'istruttoria era conclusa, toccava ora alla procura formulare le richieste conclusive. La requisitoria impiegò tutte le nostre energie: il materiale processuale da valutare era davvero senza precedenti. Ci dividemmo i compiti, che sarebbero stati da me coordinati, e cominciammo a leggere, studiare e scrivere come forsennati.

Ogni mattina i colleghi mi consegnavano i loro elaborati, io portavo il mio e assemblavo il tutto secondo criteri che sovente ero costretto a rivedere sul momento, pur di conferire organicità al materiale prodotto.

La mobilitazione coinvolse anche buona parte del personale di segreteria e dattilografia, che diede prova di uno speciale attaccamento all'ufficio, trattenendosi oltre l'orario di lavoro e il tetto delle ore di straordinario retribuite. Una sorta di volontariato prestato non solo con dedizione e competenza, ma anche con l'entusiasmo delle grandi occasioni, quello che carica tutti.

Il metodo avrebbe dovuto essere di tipo industriale, mentre i mezzi di cui disponevamo erano assolutamente artigianali. Fantasia e creatività colmarono il vuoto. Le agende di Borsellino fecero il resto: le mise a nostra disposizione, erano dei database cartacei. A ogni imputato corrispondeva l'indicazione dei volumi e delle pagine inerenti la sua posizione, accompagnata da una specie di sintetico riassunto degli elementi di prova più rilevanti. Un lavoro certosino si traduceva in un supporto fondamentale.

Andammo avanti così per un paio di mesi. Alla fine fu varato un provvedimento di circa quattromila pagine. Eravamo stanchi ma molto soddisfatti: oltre al sacrificio, la ritrovata sintonia ci aveva dato la possibilità di rispondere concretamente ai non pochi che, in maniera più o meno strumentale, affermavano dai pulpiti più disparati che il maxiprocesso si sarebbe rivelato una «mostruosità ingestibile».

Un giornalista me lo ricordò. Gli risposi che ai tanti articoletti da sessanta, ottanta righe avevamo replicato prima con il silenzio e poi con quattromila argomenti. Tanto per cominciare.

Era iniziata, nel frattempo, la costruzione dell'aula bunker destinata a ospitare la celebrazione del «mostro» processuale. Fu realizzata dal nulla in pochi mesi. La vollero con forza i ministri Scalfaro e Rognoni, rispettivamente agli Interni e alla Giustizia. Lo Stato dimostrava di essere al nostro fianco, ma non durerà a lungo.

Depositata la requisitoria, l'ufficio istruzione diede l'avvio al cantiere per la costruzione della monumentale ordinanza di rinvio a giudizio. A complicare l'operazione, però, arrivarono i drammi dell'estate 1985.

Tutto cominciò a Porticello, un borgo marinaro a pochi chilometri da Palermo, la sera del 28 luglio. Il commissario Beppe Montana, capo della «squadra catturandi», aveva appena affidato al suo meccanico di fiducia il motoscafo a bordo del quale aveva trascorso quella calda giornata. Stava per allontanarsi dal porto in compagnia della fidanzata e di alcuni amici. Due killer gli si fecero incontro e lo centrarono con quattro proiettili calibro 38. Era il conto che doveva pagare per i troppi latitanti che era riuscito a scovare.

Tre giorni prima l'aveva fatta davvero grossa, scoprendo e interrompendo un vero e proprio summit mafioso, al quale era arrivato seguendo le tracce di un latitante di calibro. Un certo Tommaso Cannella, capomafia molto legato ai Corleonesi, per il quale, quel giorno, si aprirono inesorabilmente le porte del carcere. La misura era colma. Al diavolo la *pax mafiosa*!

Tra i tanti testimoni che avevano assistito all'agguato, uno si rese protagonista di un fatto anomalo: indicò il modello e i primi numeri di targa di quella che, secondo lui, era stata l'auto d'appoggio degli autori dell'attentato. Le indagini, partite dall'esame dei registri della motorizzazione civile, si concentrarono su un veicolo di proprietà di un tale Marino, un giovane calciatore appartenente a una povera famiglia di pescatori. Fu convocato in questura e sottoposto a un interrogatorio, nel corso del quale emersero una serie di smentite e contraddizioni che indussero gli inquirenti a ritenerlo quantomeno un favoreggiatore dei sicari.

Il guaio fu che, forse in preda a una forma d'isteria collettiva, lo torturarono sino a ucciderlo. Si scatenò un comprensibile putiferio. Al termine dei funerali, i familiari e gli amici più intimi portarono la bara bianca in giro per mezza città, al grido di «poliziotti assassini». Il piatto della vendetta, questa volta, la mafia lo gustò quando era ancora caldo, caldissimo.

Il 6 agosto, alle tre di pomeriggio, Ninni Cassarà, diretto superiore nonché grande amico del povero Montana, non riuscì a raggiungere il portone di casa. Durante il breve tragitto tra la macchina, dalla quale era appena sceso, e l'androne un gruppo di fuoco armato di kalashnikov, appostato nel palazzo di fronte, gli scaricò addosso una quantità impressionante di colpi. Uno solo risulterà mortale. Il «nonnulla» che sarebbe bastato a salvarlo chissà dov'era quel giorno.

Laura, la moglie, affacciata al balcone, assistette al dramma. Morì anche il fedelissimo agente Roberto Antiochia che, fiutato il pericolo, era rientrato dalle ferie per «guardare le spalle» al suo capo. Non ci furono funerali di Stato, questa volta. La famiglia Cassarà li rifiutò.

Quella sera ci ritrovammo da Falcone a piangere un amico, questo era Ninni per noi. Ma era anche il nostro più diretto braccio operativo, sempre leale, efficiente e disponibile. Una mutilazione, non trovammo altra parola che potesse meglio descrivere il nostro stato d'animo, già provato dalla perdita di Montana a cui ci legava un affetto sincero. La botta, poi, per l'intero apparato investigativo fu durissima: ci vorranno alcuni anni a compensarla.

E l'analisi di Copacabana? Reggeva ancora. «Partiamo da Cassarà» esordii. «Che fosse nell'elenco non c'è dubbio. La moratoria è stata interrotta dopo il caso Marino; è mirata, insomma. Montana è stato un segnale in direzione del fronte più delicato, quello dei latitanti. Lo temono davvero il maxiprocesso, sanno che speranze di assoluzione per insufficienza di prove ne hanno ben poche. Il latitante catturato oggi, a differenza di ieri, è fottuto. Non va in galera per qualche mese, rischia di restarci per anni. Un colpo in quella direzione lo dovevano dare anche a fini di rasserenamento interno. La crescente preoccupazione del "comparto latitanti" richiedeva un intervento sedativo. Per questo Beppe Montana non c'è più!»

La successiva morte di Marino non ci voleva proprio, e per tante ragioni. La principale delle quali ha a che fare con l'accelerazione della fine di Ninni. Tutto qui. Ma sì, le cose stavano così. Il governo della paura continuava a non scapparci di mano.

E invece, qualche giorno dopo, Caponnetto raccolse la confidenza di un suo fidatissimo segretario: «Dal carcere è partito l'ordine di ammazzare Borsellino e Falcone». L'ascensore salì immediatamente verso l'ufficio di Pajno. Tra un saliscendi e l'altro, i due decisero che bisognava informare quanto prima gli uffici ministeriali. La risposta non si fece attendere: Falcone e Borsellino, con le rispettive famiglie, avrebbero lasciato al più presto Palermo per essere trasferiti all'Asinara.

Lo Stato, in quell'agosto 1985, costruiva l'aula bunker ma si vedeva, al tempo stesso, costretto a rifugiarsi in una piccola isola a nord della Sardegna.

IX

La mafia alla sbarra

Appresi la notizia direttamente da Falcone: «Domani o, al massimo dopodomani, Francesca e io partiamo. Vengono con noi anche Paolo, Agnese e i figli. Non so per quanto tempo staremo fuori. È una vacanza e non è una vacanza. Ci portano tutti al supercarcere dell'Asinara. Le ragioni è inutile che te le spieghi. La decisione è stata presa dal governo, non c'è niente da fare».

Lo guardai negli occhi e non seppi dire altro che: «La realtà ha superato la fantasia. Ospiti di un supercarcere, ma chi l'avrebbe mai potuto pensare! Ma quanto durerà?». «Non ne ho la più pallida idea, è una scelta che devo subire, non posso fare altro» rispose. Non mi sembrò preoccupato, molto infastidito sì.

Restai a cena da lui. Mi raccontò dei problemi di Paolo per le non buone condizioni di salute di una delle figlie: quella partenza forzata non l'avrebbe certo aiutata. E poi la redazione dell'ordinanza di rinvio a giudizio avrebbe subito un rallentamento. Non era possibile portarsi dietro tutto il materiale necessario, mancava il tempo per selezionarlo.

La speranza era che la prigionia non si protraesse troppo. Ci salutammo con la promessa che sarei andato a trovarli. Francesca aveva ascoltato senza aprire bocca. Il suo sorriso non mancò, ma non comunicava l'abituale serenità. L'indomani un aereo dei servizi segreti li condusse a destinazione.

Nel tentativo di compensare in qualche modo la forzata assenza di Giovanni e Paolo, Caponnetto, Guarnotta e Di Lello s'imposero un'attività lavorativa che li impegnava quattordici ore al giorno, se non di più. Per indurre Peppino a concedersi un attimo di respiro, una sera gli comunicai che avremmo trascorso insieme un weekend all'Asinara. Avevo promesso a Falcone che sarei andato a trovarlo. La nostra visita sarebbe stata anche per Paolo un bel sollievo. Ne convenne. Nel più assoluto segreto ci venne messo a disposizione un volo di Stato, grazie al quale raggiungemmo i nostri amici.

Erano due animali in gabbia. Malgrado ciò, l'atmosfera ci sembrò tranquilla. La grande forza interiore di Francesca e Agnese e la paziente accettazione di quell'assurda situazione da parte dei figli di Paolo suscitarono tutta la nostra ammirazione. Il merito era soprattutto loro.

Il nostro arrivo trasformò quel «soggiorno obbligato» in qualcosa che, con molto ottimismo, poteva assomigliare a una vacanza. I due «soggiornanti» si trasformarono subito in solerti ciceroni. Vollero condividere con noi la scoperta delle bellezze dell'isola alla quale si erano già dedicati, ma con molta parsimonia. Scoprimmo un vero e proprio paradiso terrestre. La natura incontaminata fece sì che, mentre percorrevamo un viottolo, qualcuno di noi inciampasse in una famigliola di tartarughe, impegnata nella quotidiana passeggiata, o si accorgesse di essere seguito, per un certo tratto, da una coppia di asinelli bianchi che solo in quell'isola riescono a riprodursi.

Molti anni dopo, quando ero al governo, proprio in memoria di quei giorni, decisi di dismettere l'isola dalla sua funzione di carcere e annetterla al parco naturale del Gennargentu. Di Lello approvò incondizionatamente la decisione e sono certo che anche Giovanni e Paolo l'avrebbero fatto, se avessero potuto. Ma non c'erano più.

Al giro turistico terrestre seguì quello marino. Un'imbarcazione della polizia penitenziaria ci portò a vedere le insenature più belle. Ne scegliemmo una per fare un tuffo in acque di una limpidezza forse mai vista. Al tempo stesso, ci rendemmo conto che ci stavamo immergendo anche in un altro mare, quello delle risate, come non di rado ci capitava, grazie a Di Lello, che fu costretto a dichiarare che ci avrebbe aspettato a bordo perché non sapeva nuotare. Lo vestimmo di tutto punto da sub, usando l'attrezzatura che Giovanni aveva con sé, e lo immortalammo in una bella fotografia a colori. Paolo commentò: «Così Peppino potrà confermare agli amici quanto è pescoso il mare dell'Asinara».

La conferma di Di Lello arriverà davvero, non per quella immersione virtuale, ma per i pasti che consumammo in quei giorni, tutti esclusivamente a base di pesce. Lo dichiarò una sera: «Non c'era bisogno di fotografie, confermo!».

Tornati a Palermo li aspettammo ancora per qualche settimana, fin quando non fu deciso che potevano rientrare. Giovanni, però, dovette aspettare ancora un po' per rivedere casa sua: una «struttura protetta» lo ospitò assieme a Francesca per una quindicina di giorni, sino al via libera definitivo.

L'8 novembre venne depositata, sia pure con leggero ritardo, la «Treccani»: così ribattezzai l'ordinanza di rinvio a giudizio. Le pagine erano ottomila, quelle del processo un milione, gli imputati 475. I numeri spiegano più delle parole.

Il giorno dopo appresi da Pajno che sarebbe toccato a me sostenere l'accusa e che, non soltanto per la vastità del maxiprocesso ma soprattutto per la sua presumibile durata, avrei dovuto essere affiancato da altri due colleghi. Il rischio che anche una stupida influenza potesse bloccare il dibattimento era da evitare. Riflettendo, arrivammo alla conclusione che uno era sufficiente. La scelta cadde su Mimmo Signorino. Ne fui molto contento: era un amico, brillante, preparato, molto simpatico e in più leale come pochi.

Qualche anno dopo non reggerà psicologicamente alle rivelazioni che un pentito fece a suo carico e si suiciderà, sparandosi un colpo di pistola. Non entro nel merito di quelle accuse, non ne ho titolo. La consapevolezza della sua lealtà continua, però, ad accompagnare il ricordo di quel compagno d'avventura.

Era un ansioso, Mimmo. Ne ebbi conferma nel periodo precedente la requisitoria. Mi rendeva partecipe, giorno dopo giorno, delle sue insicurezze e del timore di sfigurare. Percepii che ne stava facendo una vera e propria malattia.

Non sapendo come aiutarlo, gli suggerii di provare a registrare qualche pezzo del suo intervento, per poi riascoltarlo e adottare le correzioni del caso. L'idea lo entusiasmò e ne fece tesoro. Ogni mattina sottoponeva al mio ascolto la registrazione del pomeriggio precedente: teneva moltissimo alla mia opinione. Più i miei commenti erano di approvazione e più registrava. A un certo punto non potei resistere alla tentazione di fargli uno scherzo. Alla fine dell'ennesimo ascolto gli dissi: «Senti Mimmo, ho pensato una cosa. Le registrazioni sono sempre più confortanti, ne verrà fuori una requisitoria coi fiocchi. Registrala tutta a questo punto, così la passiamo alla cabina di regia che cura l'audio dell'aula e la fai in playback. Dovrai soltanto muovere le labbra. Che te ne pare? Rischio zero e bella figura assicurata!». L'ansia offusca l'intelligenza, non c'è dubbio. La sua risposta ebbe dell'incredibile: «Ayala, tu non sei intelligente, sei ai confini della genialità, se non oltre. Minchia, non ci avevo pensato. Il problema è risolto!». Il suo, pensai a quel punto, ma non il mio. Non me lo sarei mai aspettato, ma c'era cascato. Come salvarlo? «Però, Mimmo, siccome una cosa del genere non ha precedenti, mi sembra opportuno parlarne prima con Pajno. Non possiamo farlo a sua insaputa. Il capo deve essere d'accordo.» Approvò.

La mattina seguente eravamo da Pajno. Mimmo, informandolo della mia idea definita non intelligente, ma geniale, si espose al commento ilare del capo che lo gelò: «Signorino, devi stare attento. Peppino per il culo ti prende. Lo fa bene, non c'è dubbio, ma tu più vigile dovresti essere!».

Il castello era crollato. «Vincenzo, non ti puoi lamentare. Almeno ti facciamo ridere!» fu il suo commento conclusivo dell'incidente, che non lasciò tra noi traccia alcuna. Anzi, si divertì a raccontarlo a destra e a manca. Mi aveva però degradato da geniale a stronzo. Continuava a volermi un gran bene. Ricambiato appieno allora e con rimpianto oggi.

Natalia, nel frattempo, era tornata a Palermo. La lunga parentesi milanese non aveva funzionato, non era riuscita a tenerci lontani. Tutt'altro. Tanto è vero che, dopo qualche anno, ci saremmo sposati. Il nostro era un amore clandestino, non potevo renderne partecipi gli uomini della scorta, non foss'altro per non metterli in imbarazzo. Né era ipotizzabile che potessi recarmi ai nostri incontri bypassando i miei «angeli custodi»: il sistema di sicurezza era tale da non consentire una possibilità del genere. Trovai, però, il modo per depistarli: mi rivolsi a un caro amico, che abitava in uno dei palazzi più centrali della città, e ottenni in uso un suo appartamento situato in quello stesso stabile. La scorta era abituata ad accompagnarmi a quell'indirizzo; un incremento delle visite non avrebbe potuto suscitare alcun sospetto. Consegnai le chiavi del bilocale a Natalia. Lei sarebbe sempre arrivata prima, in modo che la scorta non potesse vederla. Io avrei suonato al citofono, lei avrebbe aperto e i miei ragazzi sarebbero rimasti ad aspettarmi, convinti che mi fossi recato a trovare il mio amico.

Tutto filò liscio per un certo periodo. Un sabato sera, per colpa del traffico che rallentò Natalia, arrivai per primo. Gli uomini bloccarono la circolazione e due di loro, con le mitragliette ben visibili, mi accompagnarono al portone. Suonai al citofono senza ottenere risposta. Non sapevo che fare. La situazione era molto imbarazzante: auto in colonna, uomini armati in bella vista, sembrava la scena di un film. Per prendere un po' di tempo chiesi al caposcorta un gettone per chiamare la ritardataria dal vicino telefono pubblico. Lasciai credere che il citofono non funzionasse. Nel preciso istante in cui stavo infilando quel gettone nell'apposita feritoia, udii la voce del caposcorta: «Dottore, la signora è arrivata». Avevo fatto di tutto per depistarli, ma non c'ero riuscito. «L'Arma è sempre l'Arma!» mi dissi rassegnato.

Raccontai l'episodio a Falcone la sera in cui gli comunicai che non potevo partire con lui per gli Stati Uniti, a causa del protrarsi di un processo ormai prossimo al fatidico momento della requisitoria. Lo pregai di farmi una cortesia: Natalia adoperava abitualmente il profumo *Tatiana* della casa von Fürstenberg, che in Italia era introvabile, mentre in America era in vendita anche nei drugstore. Un certo numero di confezioni mi avrebbero fatto fare bella figura. Il regalo sarebbe stato molto gradito. Giovanni mi assicurò che avrebbe provveduto e, per non correre il rischio di dimenticarsene, annotò nella sua agenda il nome *Tatiana* tra i tanti impegni che lo attendevano. Lo invitai subito a cancellarlo: «Falcone, uno attento come te non lascia la prova documentale di un incontro americano con una donna dal nome tanto seducente. Lasciamo perdere gli estranei, ma se lo legge Francesca? Sarà dura per lei credere che si tratti di un profumo. Cancella Falcone, cancella, non si sa mai!». L'annotazione fu accuratamente depennata ma lo stock di profumo arrivò lo stesso.

L'inizio del maxiprocesso si avvicinava, la data era stata fissata: 10 febbraio 1986. La campagna di stampa orchestrata per delegittimare i pentiti, il processo e i magistrati che vi erano impegnati montava con progressione incalzante. Nessuno era tanto ingenuo da non comprendere il disegno che stava dietro quella vera e propria grancassa massmediatica: il «maxi» non doveva reggere, il suo fallimento sarebbe equivalso a un «tutti a casa», dei mafiosi, innanzitutto, ma anche di quei giudici invasati, la cui credibilità sarebbe stata definitivamente azzerata da una sentenza assolutoria.

Il «teorema Buscetta» e il «metodo Falcone» erano nel mirino del piombo delle rotative. «Meglio questo piombo che l'altro» era il mio commento, scontato quanto si vuole, ma che confermava la sensazione molto viva di essere sotto tiro. In questi casi si sa come comincia, ma è difficile prevedere come finisce. I legami tra politica a tutti i livelli, burocrazia, settori affaristici e nuovi vertici di Cosa nostra si erano rinsaldati. Il blocco di potere era tornato compatto. La bandiera del garantismo «peloso» sventolava a più non posso. Tante persone, in perfetta buona fede, si lasciarono ingannare e decisero di partecipare alla crociata. In nome del più nobile tra i principi prendeva forma la più bieca operazione di disinformazione che si potesse immaginare.

L'aula bunker era pronta, anche il raffinato supporto elettronico che avrebbe consentito la computerizzazione di tutti gli atti aveva superato i collaudi: fu proprio questa la verifica più importante; senza quel sistema il processo sarebbe stato davvero ingestibile. La struttura esterna era a prova di missile, il sistema di sicurezza interno tra i più moderni ed efficienti. La mia stanza, con bagno, somigliava a quella di un albergo: era piccola, ma il letto era comodo, l'armadio capiente, la scrivania funzionale. Limitai il trasloco alle carte, ai codici e ai volumi di giurisprudenza di più probabile consultazione. A parte lo spazzolino e il dentifricio, nulla di personale. La sera sarei tornato a casa. L'idea della clausura era insopportabile.

Il mio stato d'animo marcava un buon tasso di lucidità e una carica che sapeva di determinazione. La tensione per l'avventura che stavo per intraprendere rimaneva sottocutanea, ma avvertibile. Mi attendeva una prova da pioniere. Era proprio questo il guaio maggiore: non avevo a chi chiedere consigli, per la semplice ragione che nessun collega aveva mai affrontato un processo di quella portata. La responsabilità era enorme.

Non erano soltanto in gioco le condanne di centinaia di imputati di fatti gravissimi, dall'associazione mafiosa al traffico internazionale di stupefacenti, a una sterminata serie di omicidi, alcuni dei quali avevano scosso nel profondo la coscienza nazionale. C'era di più: la promozione o la bocciatura di un metodo di lavoro sostenuto da una visione coerente e nuova del contrasto giudiziario al mostro mafioso. Il superamento di quell'esame si risolveva anche nel ridurre al silenzio chi ci aveva osteggiato e nel dare voce a chi ci aveva sostenuto. E lo Stato, in quel momento, era tra questi ultimi.

Montava una grande attesa e un diffuso timore, che non risparmiava il circuito istituzionale. Fu questo il motivo per cui ricevetti *brevi manu* dal prefetto una nota ministeriale il cui oggetto, in perfetto burocratese, era il seguente: «Misure di protezione per i familiari conviventi del dottor Giuseppe Maria Ayala». Tornai subito a casa per valutare il delicatissimo problema assieme a mia moglie. Si trattava di sottoporre a scorta per qualche anno un ragazzo di 14 anni e le sue sorelle di 12 e 8 anni. Una decisione più difficile non riuscivo neanche a immaginarla, né potevo non coinvolgere la madre, la quale, com'era prevedibile, nella sostanza rimise a me la decisione: «Giuseppe, sei tu l'esperto di mafia, io non sono in condizione di fare valutazioni sui rischi a cui possono andare incontro i nostri figli». «Io non vedo pericoli concreti. La mafia quando ha deciso di colpire un uomo delle istituzioni non ha mai fatto ricorso a vendette trasversali. L'ha ammazzato e basta. La casistica, purtroppo, è ampia» risposi, sforzandomi di apparire il più sereno possibile. E aggiunsi: «Ma poi come si fa a costringere a una vita blindata tre ragazzi di quell'età? Ne rimarrebbero segnati per sempre. Se sei d'accordo chiamo il prefetto, lo ringrazio e gli comunico che non se ne fa niente». «Ne hai parlato con Giovanni?» mi chiese. «No, tanto so esattamente quello che mi direbbe: posto che i figli sono i tuoi, visto che me lo chiedi ti dico che se fossero i miei farei lo stesso.»

Lo chiamai, comunque, anche per regalarle un conforto, le passai la cornetta e, alla fine della breve conversazione, la mia previsione risultò confermata in pieno. Ma non finì lì, perché dovetti far fronte anche al decisionismo di mio suocero: «Vi state assumendo una responsabilità enorme. La soluzione è una sola: i ragazzi vanno a studiare in Svizzera per il tempo che sarà necessario. Provvede a tutto il nonno». Feci leva sulla sua tenerezza di padre: «Carlo, ma te l'immagini la vita di tua figlia senza i suoi figli accanto?». Il nonno si arrese, ma fu un'impresa.

La composizione della Corte riservò alcune sgradevoli sorprese: non fu affatto agevole trovare il presidente. Spiace ricordarlo, ma tutti i papabili trovarono il modo di defilarsi, tranne uno per fortuna, Alfonso Giordano. Un civilista colto, che però aveva ben poca esperienza di penale. Sarà una rivelazione. Giudice a latere fu nominato Piero Grasso, un magistrato di prim'ordine, molto metodico e dotato di una capacità di lavoro a prova di stanchezza. Il sorteggio dei giudici popolari, invece, non creò problemi. Gli estratti, a parte alcuni casi sporadici, accettarono l'incarico con grande senso del dovere, del quale daranno conferma durante il corso del processo. Un bell'esempio per la complessa e martoriata società siciliana.

Arrivò il 10 febbraio, giorno della partenza. L'enorme aula era stracolma di avvocati, oltre duecento, e giornalisti accreditati provenienti da ogni latitudine, venuti a raccontare l'«evento storico». Quell'aggettivo fu pronunciato e scritto in tutte le lingue conosciute, cinese e giapponese compresi, tanto per citare le più lontane. L'anfiteatro delle gabbie trasmetteva fisicamente il significato simbolico della rappresentazione: le centinaia di mafiosi che le affollavano erano chiamati a rispondere davanti alla giustizia italiana dei tremendi delitti di cui si erano macchiati e, al tempo stesso, a verificare che l'impunità non li avrebbe ancora una volta coperti. Era questa la scommessa che lo Stato mostrava di voler finalmente vincere. Niente sarebbe stato come prima. Quella mattina fummo in molti a crederci.

La parte sana delle istituzioni continuava ad avere buon gioco. L'altra era costretta all'attesa. Molto vigile, però.

Le legittime esigenze dei difensori non furono trascurate. Per la prima volta venne posta gratuitamente a loro disposizione la copia integrale degli atti e, per facilitarne la consultazione, anche le agende di Borsellino. Una bella pagina di fair play giudiziario.

Il lungo iter processuale confermò, grosso modo, le mie previsioni. Non c'era da attendersi alcuna sorpresa dal fronte degli imputati. Come da copione avrebbero negato tutto e si sarebbero scagliati contro quegli «infami» dei pentiti. Da quello della difesa mi aspettavo tentativi per far «saltare» il processo o, quantomeno, per allungarne a dismisura i tempi, ricorrendo a qualche espediente ostruzionistico. Nulla di strano, faceva parte del gioco, ma bisognava stare molto attenti. Il nervosismo era palpabile e da qualche parte, prima o dopo, avrebbe dovuto scaricarsi.

La prima occasione fu una clamorosa istanza di ricusazione nei confronti del presidente Giordano, palesemente infondata. Un vero e proprio scontro frontale con la Corte che i difensori, in genere, preferiscono evitare. Quella volta, tuttavia, furono costretti a ingaggiarlo: la richiesta era partita dalle «gabbie», che ritenevano il loro operato troppo morbido e conciliante. L'istanza fu naturalmente respinta e il processo poté riprendere il suo cammino.

La successiva, molti mesi dopo, fu una autentica bordata. In base a una norma del codice di procedura penale, mai applicata prima, fu chiesta la lettura integrale di tutti gli atti in aula, mentre nella prassi, tenuto conto della sua assoluta inutilità, veniva costantemente evitata «sull'accordo delle parti».

Le letture, nel nostro caso, sarebbero durate un paio d'anni. Una follia. L'ostacolo non era però aggirabile, se non con una nuova norma che dettasse una diversa disciplina della materia. Non c'era altro modo per venirne fuori. Il Parlamento, in tempi rapidissimi, approvò una provvida legge, evitando una figuraccia che avrebbe fatto il giro del mondo.

Devo ammettere che fui spiazzato da quell'iniziativa, almeno in apparenza sostenuta da tutti i difensori. Le garanzie e i diritti della difesa non c'entravano niente. Era un volgare escamotage e basta. Il sospetto che anche questa volta ci fosse lo zampino delle «gabbie» era più che fondato. Me ne parlò, confidenzialmente, un avvocato serio, al quale mi legava un antico rapporto di amicizia. Le sue parole mi colpirono: «Giuseppe, tu a fine udienza te ne torni a casa con tre macchine corazzate e un certo numero di uomini armati fino ai denti. Io da solo ci debbo tornare. E ci voglio arrivare». C'era bisogno di aggiungere altro? Lo salutai con una stretta di mano forte, la sua sincerità e la sua paura esigevano rispetto.

Il processo, intanto, marciava senza significativi intoppi. L'attesa era tutta concentrata sui pentiti. Avrebbero superato la prova? Lo fecero a pieni voti, *cum laude*. Quelli cosiddetti «minori» dovettero subire insulti di ogni genere da parte di alcuni imputati scatenati, ma non si lasciarono condizionare. Confermarono le loro accuse e ressero senza scomporsi alla raffica di domande dei difensori.

L'ingresso in aula di Tommaso Buscetta fu salutato, invece, da un silenzio tombale: il carisma dell'uomo era, malgrado tutto, ancora avvertito. Il clima si surriscaldò nel corso dell'interrogatorio. La fredda ma puntuale conferma delle sue accuse seminò il panico. Gli avvocati furono costretti dai loro clienti ad avanzare almeno una ventina di richieste di confronti, di faccia a faccia che avrebbero «clamorosamente sbugiardato quell'"infame venuto dal Brasile"». Il presidente mi diede la parola per il parere. Mi dichiarai senza esitazione favorevole a tutte le richieste, anzi invitai la Corte a fissare subito un calendario, elencandole a verbale, per dare ordine ai nostri lavori. Preparavo il colpo di scena. Mi fidai di uno sguardo d'intesa lanciatomi da Buscetta. Si sentiva sicuro.

Il primo faccia a faccia fu affrontato da Pippo Calò, il cassiere della mafia, personaggio di grande spicco del quale Buscetta aveva raccontato le gesta in dettaglio. I due erano stati per decenni grandi amici. Per Calò si risolse in un disastro: fu lui a essere implacabilmente «sbugiardato» dal suo contraddittore, le cui pesantissime accuse risultarono così più fondate di prima.

Era andata alla grande. Presi in contropiede gli avvocati, rivolgendomi subito al presidente perché si procedesse senza esitazioni di sorta agli altri confronti. Non se ne tennero più. Tutti i difensori che li avevano richiesti dichiararono di rinunciare. Un autogol pazzesco. Avuta la parola, stigmatizzai l'incidente: «Signor presidente, a questo punto non insisto. La rinuncia della difesa ad atti istruttori precedentemente chiesti con tanta insistenza regala all'accusa il più favorevole degli esiti. Per me va bene così, possiamo procedere». «Uno a zero e palla al centro» sentenziò il buon Signorino.

Buscetta tenne la scena con misurato ma intenso prestigio. L'avevo conosciuto mesi prima negli Stati Uniti, in un'occasione che merita di essere raccontata. L'incontro era stato voluto da Falcone e si tenne in una isolata villetta del New Jersey, che raggiungemmo con un elicottero dell'Fbi decollato da Manhattan. Buscetta, a sua volta, giunse a bordo di un altro elicottero dalla provenienza a noi ignota. Il suo domicilio americano era conosciuto soltanto dagli uomini incaricati della sua protezione. Il colloquio fu molto breve: riguardava soltanto alcune precisazioni in merito a due, tre circostanze che le nostre indagini non avevano chiarito del tutto. Giovanni si rivolse quindi a Buscetta: «Il dibattimento del maxiprocesso comincia tra non molto. Io non ci sarò. Ci sarà il giudice Ayala, è la stessa cosa. Per questo ho voluto che lei lo conoscesse».

Falcone aveva usato il tipico linguaggio mafioso. Quella frase, «è la stessa cosa», infatti, veniva abitualmente adoperata dagli uomini di Cosa nostra in occasione della presentazione di un nuovo associato. Vista l'identità del nostro interlocutore, non c'era modo migliore per accreditarmi.

Parlammo anche d'altro, sempre a proposito della mafia. Non mi piacque affatto la premonizione finale di Buscetta: «Voi siete destinati a essere ammazzati, ma non è detto. Durante il maxiprocesso non faranno niente del genere per timore della reazione dello Stato, che potrebbe portare a un inasprimento delle condanne. Dovete guardarvi piuttosto dal mondo istituzionale, ascoltatemi. Gente come voi lì non è ben accetta. Non vi toglieranno la vita, ma faranno di tutto per rendervi innocui con ogni mezzo. Tanti auguri, comunque!». Giovanni assentì, io meno. Ero più ingenuo.

Rimasti soli, nessuno dei due ebbe voglia di commentare. Invece a proposito del ricorso al «linguaggio caro a don Masino» sfotticchiai un po' Falcone, il quale mi fornì però una spiegazione convincente: «Se il tuo interlocutore non parla la tua lingua, ma tu conosci la sua, a quale delle due è meglio ricorrere se ti vuoi fare capire davvero?». «Ineccepibile Watson» conclusi.

Non era la prima volta in cui Giovanni aveva adoperato la lingua dell'interlocutore per rendere più chiaro il suo pensiero. In precedenza un imputato mafioso lo aveva chiamato: «Signor Falcone», ottenendo la seguente immediata replica: «Guardi che io sono il giudice Falcone, è lei che è il signor ...». Buscetta aveva infatti precisato che la parola «signor», riferita a una persona, viene adoperata dai mafiosi in senso spregiativo, come per indicare un *quilibet qualunque*. La precisazione era, perciò, necessaria per correggere una indubbia mancanza di rispetto, ma anche per chiarire da che parte in quel momento stava il *quilibet qualunque*.

L'interrogatorio di Totuccio Contorno si risolse in uno show. In assenza di carisma, fu coperto di insulti, ai quali, per quello che poté, replicò a ruota libera. Si ostinò a parlare esclusivamente in dialetto palermitano, confermando in pieno tutte le accuse. Nessuno osò chiedere un confronto. Al pari di Buscetta fu accompagnato a Palermo da Gianni De Gennaro e ospitato in un appartamentino attrezzato apposta all'interno della struttura del bunker. Chiese a De Gennaro di farmi sapere che voleva incontrarmi prima di comparire davanti alla Corte. Gli mandai a dire che non era possibile e che, tutt'al più, ci saremmo potuti vedere a cose fatte, prima della sua partenza. Il rapporto con i collaboratori dev'essere ispirato alla trasparenza: non si incontrano, se non per esigenze strettamente processuali. E in quel frangente facevano capo alla Corte e non certo a me.

A interrogatorio concluso, De Gennaro tornò nella mia stanza per ricordarmi il messaggio che, tramite lui, avevo inviato a Contorno.

L'incontro durò pochi minuti. Voleva sapere com'era andata, ma tenne soprattutto a chiarire che si era sempre espresso in dialetto per essere sicuro che «quelli delle gabbie» capissero tutto. Nel congedarci, mi prese alla sprovvista e mi baciò sulle guance. De Gennaro colse al volo il mio imbarazzo e, tanto per sdrammatizzare, si rivolse a Contorno dicendogli: «Totuccio, a me però mai mi hai baciato!». La risposta fu *tranchant*: «E chi c'entra? U dutturi Ayala un galantomu è. Tu si sbirru». Sempre mafioso era.

X
A ciascuno il suo

Il maxiprocesso fu diverso da tutti gli altri anche perché determinò la nascita di una sorta di comunità tra tutte le persone coinvolte, costrette a vivere insieme per intere giornate dal febbraio 1986 al dicembre 1987. Un autentico spaccato della nostra società, accomunato dalla più eterogenea delle convivenze: quella tra imputati, difensori, giudici, pubblici ministeri, addetti al bar e alle pulizie, segretari, cancellieri, giornalisti, carabinieri e responsabili della sicurezza (tra questi ultimi un gruppo scelto di personale della polizia penitenziaria al comando del generale Enrico Ragosa, da me soprannominato «Rambo»; e si capisce tutto!). Centinaia di persone che per ventidue mesi condivisero, senza volerlo, la loro quotidianità.

Osservando gli imputati, che avevo di continuo davanti, vissi fatalmente quella che definii la «prova vivente». Tutti i rapporti, le appartenenze, i collegamenti che avevamo ricostruito con pazienza in anni di indagini venivano, giorno per giorno, confermati dai loro comportamenti.

Le gerarchie, per esempio. I capi occupavano, in ciascuna gabbia, il posto in prima fila e i loro interrogatori venivano seguiti nel più assoluto silenzio. Le conversazioni di ciascun imputato privilegiavano gli altri membri della medesima famiglia mafiosa. Quando parlava un boss, tutti gli altri tacevano. Quelli che risultavano legati da rapporti di affiliazione particolarmente stretti, sedevano sempre l'uno accanto all'altro. E così via.

La prova usciva dalla freddezza delle carte e si trasformava in vita vissuta. In molti casi le opinioni che mi ero formato studiando gli atti trovavano visibili riscontri. Un caso emblematico: Luciano Liggio, celebrato capo dei Corleonesi, era in carcere da oltre dieci anni. I suoi luogotenenti, Riina e Provenzano, agivano in sua rappresentanza. Ma la «prova vivente» mi confermò quello che già avevo intuito: Liggio non contava più niente. I suoi tentativi di affermazione di un ruolo che ormai non gli competeva più cadevano nella generale indifferenza, mentre gli interventi dei capi veri suscitavano sempre un'attenzione rispettosa, quasi deferente. Era chiaro che la lunga carcerazione lo aveva emarginato. I luogotenenti erano, nel frattempo, diventati i veri capi, come confermeranno le indagini successive. Decisi, così, di sancire anch'io il suo inesorabile tramonto: ne avrei chiesto l'assoluzione. Sarebbe stata la sanzione più severa per quell'ergastolano borioso, venuto a Palermo con la convinzione di sfruttare la ribalta del maxiprocesso per riaffermare il suo rango di boss.

La requisitoria richiese un grande sforzo di sintesi, grazie al quale riuscii a contenerla all'essenziale. Ciò nonostante, impegnò otto intere udienze consecutive, in ciascuna delle quali tenni la parola per cinque, sei ore.

Il presidente, tenuto conto della lunghezza dei tempi, mi aveva invitato con molta cortesia a rimanere seduto. Declinai l'invito. Il pubblico ministero si rivolge alla Corte alzandosi in piedi. La deroga propostami poteva esser letta come un atto di debolezza, non tanto personale, ma di quello che ero chiamato a rappresentare: la pretesa punitiva dello Stato.

Affrontai subito la questione dei pentiti. Era facile prevedere che sarebbe stata posta, più di ogni altra, sotto il fuoco di fila delle perorazioni difensive. L'animato e non sempre trasparente dibattito sull'argomento poneva al centro l'imprescindibile necessità della verifica delle dichiarazioni accusatorie, attraverso la ricerca delle circostanze oggettivamente idonee a confermare la credibilità della fonte. La sola parola del pentito non poteva e non doveva bastare. Ero d'accordo e condividevo anche le critiche rivolte ai magistrati che «si lasciavano passivamente prendere per mano dal pentito di turno».

Ribaltai il ragionamento spiazzando tutti. Nel caso del maxiprocesso, sostenni, erano stati proprio i pentiti a fornire un riscontro alla massa di elementi di prova già acquisiti. Le loro dichiarazioni, infatti, erano sopravvenute nel momento in cui l'istruttoria era quasi terminata. L'innegabile apporto che avevano fornito si era, in buona sostanza, risolto nell'indicazione della chiave di lettura del materiale già raccolto. Le loro dichiarazioni erano in realtà «riscontrate» già prima della loro verbalizzazione.

La difesa accusò il colpo e, nella lunga discussione successiva, non riuscì a incrinare la mia tesi che, difatti, fu recepita pienamente dalla sentenza e troverà conferma nei successivi gradi di giudizio.

Svelai quindi, sulla scorta di dati rigorosamente processuali, la struttura e il funzionamento di Cosa nostra. All'udienza dell'11 aprile 1987 sviscerai l'argomento con il linguaggio curiale che l'occasione imponeva:

> L'aggregato fondamentale è costituito dalla «famiglia», espressione organizzativa territoriale (il quartiere in città, i vari paesi nella provincia), posta alla base della piramide gerarchica.
>
> Compongono la «famiglia» gli «uomini d'onore» o «soldati», la cui investitura è consacrata da una cerimonia rituale, «il giuramento».
>
> La formula recita, più o meno, così: «Le mie carni possano bruciare come questa immagine sacra se non manterrò fede al giuramento». Viene pronunciata dopo che un dito del novizio è stato punto, per provocare la fuoriuscita di sangue, mentre costui tiene in mano la «santuzza».
>
> Gli elementi che caratterizzano il giuramento sono, pertanto, il fuoco, il sangue e il sacro.
>
> Si tratta di elementi evocativi che sottolineano con intensità la forza simbolica del momento, che va avvertito come vera e propria scelta di vita.
>
> Il messaggio è: «Da oggi non sei più quello di prima. Sei assoggettato ad una struttura, della quale potrai avvalerti, ma che si servirà di te ogni qualvolta se ne presenterà la necessità».
>
> Il parallelo con la prestazione del giuramento richiesto dalla legge al pubblico funzionario, all'atto del suo ingresso in carriera (absit iniuria verbis), sorge spontaneo e conduce alla scoperta della sostanziale identità della funzione che l'uno e l'altro assolvono.
>
> Cosa giura, invero, il pubblico funzionario se non di «bene e fedelmente osservare le leggi»?

Ma poiché è fuori discussione cha tale obbligo incomba indiscriminatamente su tutti i cittadini, sorge un quesito: «Ma che bisogno c'è di quel giuramento?».

Eppure, al di là della sua apparente superfluità, esso assolve ad una precisa funzione assegnatagli dall'ordinamento: quella di conferire ritualità formale all'inserimento del singolo in un organismo collettivo, all'interno del quale e per il quale, egli a partire dal quel momento opererà.

Risponde, cioè, alla stessa esigenza avvertita dall'ordinamento mafioso. Aveva ragione il grande giurista Santi Romano quando, negli anni Trenta, inserì nella sua opera *Unicità e pluralità degli ordinamenti giuridici* anche quello mafioso.

La prestazione del giuramento segna la positiva conclusione di un «periodo di osservazione», di varia durata, volto ad accertare il possesso, da parte del candidato, di alcuni requisiti fondamentali quali: coraggio, disponibilità al delitto e situazione familiare immune da «ombre».

Tra queste le più significative sono: la parentela con «sbirri» e la presenza di «corna» nel parentado più prossimo.

L'aspetto contenutistico più rilevante della formula è indubbiamente rappresentato dall'evocazione della morte che accoglie, così, il nuovo adepto sin dalla cerimonia d'ingresso. Ciò non è casuale.

La morte, infatti, costituisce l'asse portante della vita di «Cosa Nostra».

Ne è sempre stata la compagna di viaggio più fedele.

Non per gusto, ma per necessità. Perché proprio alla morte è affidata la concreta effettività del sistema sanzionatorio di «Cosa Nostra» e, quindi, di quello precettivo; del rispetto, cioè, delle regole.

Chi sbaglia sa che pagherà il proprio «sgarro» con la vita. Non può di certo negarsi che è ben difficile concepire una remora di maggiore efficacia.

La mafia non dispone di carceri, né può permettersi il lusso di congegnare più o meno articolati meccanismi repressivi o espiatori.

La sanzione deve, soprattutto, essere esemplare. Non esistono esigenze di emenda né, tantomeno, di rieducazione.

Ecco perché se la mafia non avesse ucciso sarebbe morta, si sarebbe disgregata.

E ancora. Una volta entrato a far parte di una «famiglia», la condizione di «uomo d'onore» cessa solo con la morte.

Nessun recesso è previsto: «Semel, semper».

Anche questa norma, al pari delle altre, ha un senso preciso, legato al dovere fondamentale di ciascun «uomo d'onore»: quello di mantenere il più assoluto segreto su tutto ciò che riguarda la «Cosa Nostra».

La struttura dell'organizzazione è gerarchica. Il vertice è rappresentato da un organismo collegiale denominato «Commissione» o «Cupola», la cui esistenza può ritenersi addirittura postulata dalla accertata caratteristica di «Cosa Nostra», quale organizzazione criminale fondata su base territoriale, dai tratti marcatamente paramilitari, che la accostano alla nozione concettuale di «Istituzione territoriale armata». Sino al punto da assumere, nei fatti, i caratteri fondamentali di un vero e proprio «sistema giuridico», retto, come abbiamo visto, dal binomio precetto-sanzione.

Un ordinamento da intendere quale espressione ontologica di un potere che dispone di uomini e mezzi e che si materializza, come è ormai anche nella legge (art. 416-bis codice penale), nella intimidazione, che opera verso l'esterno, ma anche sugli associati, e nella condizione di assoggettamento che ne deriva.

Il controllo del territorio costituisce il presupposto essenziale, per un verso, della affermazione «visibile» del potere e, per l'altro, dell'«utile gestione» di svariati affari illeciti: sbarco di sigarette di contrabbando, gestione di laboratori per la produzione di eroina, appalti, subappalti, estorsioni (il cosiddetto «pizzo»), rifugi per i latitanti e così via.

L'organizzazione è capillare e si sostituisce di fatto allo Stato che, su tale fronte, ha di sicuro molto da farsi perdonare.

Così stando le cose, dal punto di vista dello Stato, la mafia si manifesta come autentico «contropotere» con matrici storico-ambientali sempre più lontane, e non soltanto cronologicamente.

Intendiamo riferirci alla tradizionale accettazione, se non addirittura al consenso, con i quali diffusi strati della popolazione siciliana hanno alimentato, e quasi legittimato, il fenomeno mafioso.

Si trattava, a ben vedere, di un consenso fondato su insicurezza e paura, ma prodotto anche dall'apparente ideologia mafiosa, contraddistinta dall'uso mistificatorio di valori fortemente avvertiti dalla gente di Sicilia. (Il senso della famiglia e dell'amicizia soprattutto.)

E, tra tutti, il sentimento dell'«insularità», storica, se non addirittura etnica, prima ancora che geografica.

Quel sentimento in forza del quale, ancora per tanto tempo dopo l'unità d'Italia, Roma è stata sentita lontana ed estranea quanto e come prima lo erano state Atene o La Mecca, Madrid o Napoli.

Anche quello era «distacco dalle Istituzioni».

Un distacco da popoli e governi invasori, pronti ad imporre ed esigere gabelle, ma assai meno inclini ad assicurare esigenze elementari quali la sicurezza e la pace sociale.

Tutto ciò può aver determinato la nascita della «Mafia» intesa come garante, in via suppletiva, dell'ordine e della giustizia. In una parola, come difesa dalla sopraffazione.

La mafia delle origini, forse, non certo quella del traffico internazionale di stupefacenti o del sangue di tanti inermi servitori dello Stato, sparso senza ritegno alcuno.

La verità è che la condanna della mafia è ormai nella Storia e nella coscienza degli appartenenti alla società civile, prima ancora che nelle aule di giustizia.

Si tratta tuttavia di un contropotere vecchio di oltre cento anni che affida la sua continuità alla disponibilità di fatto di tutti i requisiti di un «Ente territoriale (armato)».

Tali requisiti ne fanno un vero e proprio Stato-ombra.

La nozione giuridica di Stato (Ente territoriale per eccellenza), infatti, è affidata dalla dottrina costituzionalistica ad un assioma per cui: «Lo Stato è un ente sociale che viene in formazione quando, su un territorio determinato, un popolo si organizza giuridicamente, sottoponendosi all'autorità di un Governo».

Ebbene, «Cosa Nostra» dispone di una collettività sociale, composta non soltanto dagli associati, ma anche dai soggetti di una vasta area di contiguità dai confini assai difficilmente circoscrivibili, ma di certo non ristretti.

Dispone, inoltre, di un territorio del quale mantiene l'appropriazione mediante la costante capillarità del controllo che sul medesimo esercita e, necessariamente, infine, di un Governo, altrimenti non sarebbe durata tanto. Lo Stato, prima o dopo, l'avrebbe cancellata.

E invero, in assenza di una «direzione strategica», si sarebbe trattato di gruppi criminali disomogenei e, in quanto tali, di non lungo respiro. E, invece, il secolo non arriva a coprirne l'intera storia.

La comunità sociale ed il territorio non sono di esclusiva pertinenza di «Cosa Nostra». Questa, infatti, li divide con lo Stato democratico.

La «convivenza» non è, però, necessariamente insostenibile. Anzi, per lunghi periodi, si è rivelata pacifica, malgrado la profonda diversità non solo della legittimazione ma, soprattutto, dei fini.

La finalità di «Cosa Nostra» ad altro non si riduce che alla accumulazione di ricchezza.

Ha riferito il pentito Marsala che la ragione per cui si entra a far parte della mafia è: «Diciamo nuautri… pi fari picciuli».

Ciò spiega anche la sua ideologia conservatrice. Non ha alcun interesse, salvo particolarissimi e ben giustificati casi, a qualsivoglia sovvertimento.

L'organizzazione si infiltra, sfrutta, regola scelte politiche, amministrative ed economiche. Perché cambiare e sopportare il costo della ricerca di nuovi canali di «permeabilità»?

A «Cosa Nostra» è sufficiente disporre di propri uomini nelle Istituzioni, nella politica, nell'amministrazione e nell'economia. Meglio che il sistema rimanga così com'è.

Questa e non altro, signori della Corte, è la Mafia.

Mai in un'aula di giustizia si era potuto ascoltare nulla di simile. Ed era toccato proprio a me renderlo possibile.

Illustrai, poi, nel dettaglio le posizioni processuali dei singoli imputati per passare, infine, alle conclusioni. Richiesi diciannove ergastoli (figuravano nell'elenco anche Salvatore Riina e Bernardo Provenzano) e, per gli altri imputati, complessivamente alcune migliaia di anni di carcere.

Chiesi anche un certo numero di assoluzioni con riferimento alle posizioni che non mi convincevano fino in fondo sul piano della prova e che in piena coscienza preferii abbandonare. Quelle richieste realizzavano un duplice risultato: mi affrancavano dalle critiche, che non mi sarebbero state di certo risparmiate, relative a un eventuale eccessivo «appiattimento» sull'impostazione dei giudici istruttori e, come avevo più volte sperimentato, davano maggiore credibilità e spessore a quelle di condanna. Rivolsi ancora una volta ai giudici popolari la magica frase: «Non vi chiederò nulla che non possiate darmi. Il mio non è un atto d'accusa. È un progetto di sentenza». Su quest'ultima immagine si discuterà a lungo tra gli addetti ai lavori. Ma, alla fine, la maggior parte finirà per apprezzarla.

Per mesi e mesi avevo preparato con scrupolo, per ciascun imputato, i riferimenti agli atti del processo che lo riguardavano: erano nel complesso oltre un migliaio. Neanche uno risultò inesatto. Mi ero dovuto inventare tutto, con il risultato che l'invenzione si era guadagnata il brevetto.

Avevo quarantadue anni, ne erano passati quattordici dalla notte del tempio della Concordia. Ero schierato, eccome, e dalla parte giusta. Bastò questo pensiero a fugare la fatica, i rischi e le paure.

La parola a quel punto passava ai difensori. La terranno per molti mesi, senza riuscire a mettere in crisi l'impianto del processo.

Alla fine dell'ottava udienza, dopo aver rassegnato la richiesta conclusiva, mi sedetti. E non riuscii a rialzarmi. Pensai subito al suggerimento del presidente che non avevo seguito. Le mie gambe erano state sostenute dalla tensione nervosa che aveva, per fortuna, ben sopperito al venir meno di quella muscolare. La fine dell'immane fatica mandò i nervi a rilassarsi e i muscoli, rimasti soli, non riuscirono a tenermi in piedi. Attesi, con pazienza, che l'aula si svuotasse, dopodiché chiesi a due carabinieri di prendermi di peso e trasportarmi nella mia stanza: altro modo per raggiungerla non vedevo. Passai in consegna agli uomini della scorta che, sempre di peso, mi fecero sedere in macchina, mi prelevarono all'arrivo sotto casa e finalmente mi adagiarono sul mio divano preferito, affidandomi alle cure dei miei figli, trasformatisi all'istante in provetti fisioterapisti.

Massaggi, timide flessioni e qualche coccola mi restituirono alla stazione eretta con grande soddisfazione dei miei terapeuti, ai quali strappai una risata commentando: «È stata più che altro una requisitoria di gambe. Non avete idea di come mi tremavano quando il presidente mi diede la parola. La sinistra, in particolare. Mi preoccupavo che qualcuno potesse accorgersene, ma il tremore durò solo pochi minuti. E pensare che all'inizio temevo per la voce, per il fiato, per la tenuta mentale e non so più per cos'altro. E invece sono state le gambe a farmi lo scherzetto. Prima e dopo, però, non durante, per fortuna».

Una buona dormita mi consegnò in piena forma alla breve pausa delle vacanze pasquali. Le trascorsi a Panarea con un gruppo di amici, quelli di sempre. Una sera, dopo cena, mentre ero disteso in assoluto relax nella terrazza dell'Hotel Raya, notai che il cielo era pieno di stelle. Richiamai l'attenzione degli altri esclamando: «Guardate il cielo. Sembra quello dei nostri presepi di bambini. Ne facciamo subito uno vivente?». La proposta piacque. Cominciai ad assegnare i vari ruoli, riservando per me quello di san Giuseppe. La Madonna era bellissima. Il bambino Gesù faceva la sua figura: aveva circa quarantacinque anni, ma andava bene lo stesso, grazie alla completa assenza di rughe e ai capelli folti e ondulati. Un volontario rivendicò quello del bue con la seguente motivazione: «Sono l'unico tra noi che ha sicuramente portato le corna. Tocca a me!». Il suo amico più caro pretese allora quello dell'asinello, per confortarlo. In Sicilia, si sa, le corna pesano più che altrove.

Scelti anche i re magi, si pose un problema. Una famosa gag di Renzino Barbera aveva chiarito, in esito a un'attenta rilettura dei testi sacri, che i loro regali non erano stati oro, incenso e mirra, bensì oro, Vincenzo e birra. Il primo e l'ultima si rivelarono di facile reperimento. L'altro no: nessuno di noi, uomini della scorta compresi, portava quel nome. Il rischio che uno dei tre sovrani si dovesse presentare a mani vuote non venne neanche preso in considerazione. Incaricai, perciò, il bue, che conosceva meglio di chiunque altro gli isolani, di trovare l'uomo di cui avevamo assoluto bisogno. Tornò soddisfatto dopo neanche un quarto d'ora in compagnia di un ragazzo che, giunto al mio cospetto, confermò di chiamarsi Vincenzo, esibendo, su mia richiesta, la carta d'identità. Si prestò al gioco con la evidente convinzione di essere finito in una gabbia di matti, del tutto innocui per fortuna.

La rappresentazione durò sino alle quattro del mattino e le nostre risate furono tali e tante da meritare sino alla fine la compassionevole condiscendenza di Vincenzo.

I commenti dell'indomani furono tutti dedicati a me. Non ero cambiato. La verve e l'allegria non mi avevano abbandonato malgrado la vita impossibile che ero costretto a subire. I miei amici l'avevano temuto ed erano, perciò, molto contenti di essersi sbagliati. Lo ero anch'io.

Tornato dopo tre giorni a Palermo, incontrai Falcone e, per quanto possa sembrare strano, solo allora parlammo per la prima volta della requisitoria. «È stata molto apprezzata,» esordì «ma non è che ti sei distaccato un po' troppo dalle conclusioni dell'ordinanza di rinvio a giudizio?» aggiunse con compiaciuta ironia. «Quanto basta per vincere, caro Giovanni. Aspetta la sentenza e vedrai» risposi, ribadendo così quella che lui definiva la mia «visione competitiva del processo». Non già per criticarla, ma per sottolineare il mio spirito battagliero che ben conosceva. Tanto che aveva fatta sua la definizione rifilatami dal buon Chinnici: quella di «animale da dibattimento», ponendo l'accento sulla prima parola, ovviamente.

Passammo in rassegna i tanti consensi che avevo raccolto, sia in pubblico che in privato, anche da parte di alcuni vertici istituzionali, i quali avevano con ragione accomunato anche lui all'apprezzamento per quella pagina, definita «storica» per la giustizia italiana. E, d'altra parte, chi più di Giovanni lo meritava? Io, ci dicemmo scherzando, ero tutto sommato solo «the voice», come Frank Sinatra, ma la canzone l'aveva scritta lui! «E, comunque, ricordati che io comincio dove tu finisci» conclusi, alludendo alla diversità delle nostre funzioni.

Era questo un tema sul quale ci eravamo confrontati più volte senza contrasti. Giovanni, durante gli anni trascorsi a Trapani, era stato per un periodo pubblico ministero. Quindi conosceva quanto me la radicale differenza di quel mestiere rispetto a quello del giudice, che il nuovo codice, fondato sul modello accusatorio, avrebbe ancora di più esaltato.

Non discutevamo tanto dell'autonomia e dell'indipendenza del pubblico ministero, ma dell'indubbia anomalia rappresentata dall'unicità delle carriere, estranea, non a caso, a tutti gli ordinamenti dei più importanti Paesi occidentali.

La separazione delle due carriere non ci scandalizzava affatto. Anzi, con tutte le cautele del caso, la ritenevamo per molti versi auspicabile. Per non parlare, poi, del principio dell'obbligatorietà dell'azione penale che, da teorica garanzia, si risolveva in una delle principali cause della insopportabile lentezza della macchina giudiziaria, dalla quale, a sua volta, derivava la sostanziale impossibilità di osservarlo.

Si aggiungeva, inoltre, il problema dei tre gradi di giudizio – anch'esso ignoto agli altri ordinamenti –, il cui principale effetto si risolveva nell'allontanare, oltre il limite della ragionevolezza, il momento del passaggio in giudicato della sentenza. Le anomalie erano troppe e andavano con coraggio superate, per conferire alla macchina giudiziaria una dignitosa efficienza. Nessuna riforma avrebbe mai potuto ottenere questo risultato senza il superamento di quei tabù. E la realtà stava lì a dimostrarlo. Ieri come oggi, posto che nulla è stato ancora fatto.

Ma c'è di più. L'Italia, tra i Paesi più avanzati, è la sola a non disporre di una politica contro la criminalità che, come scrisse Falcone nel 1989, «non può essere lasciata alle scelte, prive di adeguati controlli, dei capi degli uffici – o peggio dei singoli magistrati – senza alcuna possibilità istituzionale di intervento». La nostra formidabile Costituzione cita soltanto un ministro, il Guardasigilli, che, nell'immaginario collettivo, dovrebbe essere il responsabile proprio della politica criminale. Ma non è così. Il suo ruolo è testualmente precisato dall'art. 110, che recita: «Ferme le competenze del Consiglio Superiore della Magistratura, spettano al Ministro della Giustizia l'organizzazione e il funzionamento dei servizi relativi alla Giustizia». Altro non può e non deve fare. È anche vero che l'art. 107 gli attribuisce «la facoltà di promuovere l'azione disciplinare» nei confronti dei magistrati, ma non mi pare che il bilancio complessivo delle conseguenti iniziative meriti alcuna attenzione: le giudica la competente sezione del Csm. Meglio stendere con rispetto un velo pietoso.

Quando il ministro dispone un'ispezione in un ufficio giudiziario, qualunque ne sia l'esito, una cosa è sicura: non potrà neanche trasferire un cancelliere.

Il tam-tam mediatico, che di frequente amplifica tali sortite, alimenta grandi aspettative. Tutte destinate a essere inesorabilmente deluse. Inutile cercare eccezioni! Non ha nulla a che spartire, per esempio, con il ministro degli Interni, il quale, quando un prefetto o un questore sbagliano, ha il potere di rimuoverli immediatamente. E Dio solo sa se c'è qualche magistrato che meriterebbe la stessa fine!

La verità è che, così com'è, il ministro della Giustizia non serve a niente e si potrebbe anche pensare di abolirlo, trasferendo i «servizi relativi alla Giustizia» a un sottosegretario alla presidenza del Consiglio, che li curerebbe sicuramente in modo tale da non farlo rimpiangere. Nessun allarme per l'azione disciplinare, tanto c'è sempre il procuratore generale della Cassazione. Il risparmio per le casse dello Stato non oso nemmeno quantificarlo, non è il mio mestiere, ma sarebbe certamente consistente. Si potrebbero recuperare, inoltre, un bel po' dei magistrati assegnati a quel dicastero – in base a rigorosi criteri degni del Manuale Cencelli – e restituirli alle ordinarie funzioni, invece che gratificarli con pingui compensi.

Ma torniamo al pubblico ministero. Falcone aveva, in proposito, messo nero su bianco il suo pensiero:

> Comincia a farsi strada faticosamente la consapevolezza che la regolamentazione delle funzioni e della stessa carriera dei magistrati del pubblico ministero non può più essere identica a quella dei magistrati giudicanti, diverse essendo le funzioni e, quindi, le attitudini, l'habitus mentale, le capacità professionali richieste per l'espletamento di compiti così diversi ... su questa direttrice bisogna muoversi. ... Disconoscere la specificità delle funzioni requirenti rispetto a quelle giudicanti, nell'antistorico tentativo di continuare a considerare la magistratura unitariamente, equivale paradossalmente a garantire meno la stessa indipendenza ed autonomia della magistratura.

Né una tale opinione poteva ritenersi originale e nuova. Giovanni ricordò che, proprio durante i lavori preparatori della nostra Carta fondamentale, il grande giurista Piero Calamandrei, notoriamente ostile a qualsiasi forma di dipendenza del pubblico ministero dall'esecutivo, non nascose mai di «essere ben consapevole dei pericoli insiti in un pubblico ministero totalmente privo di controllo».

La nostra identità d'opinione era assoluta. L'aggettivo «antistorico», in particolare, mi sembrava il più adatto per sottolineare come la resistenza, opposta dall'Associazione nazionale magistrati a ogni ipotesi di lavoro che riguardasse la separazione delle due carriere, si risolvesse, in buona sostanza, in una battaglia di retroguardia meramente corporativistica. Ecco perché concordo tuttora con quanto Falcone disse a Milano il 5 novembre 1988:

> Se i valori dell'autonomia e dell'indipendenza sono in crisi, ciò dipende, a mio avviso, in misura non marginale anche dalla crisi che, ormai da tempo, investe l'Associazione dei giudici, rendendola sempre più un organismo diretto alla tutela di interessi corporativi e sempre meno il luogo di difesa e di affermazione dei valori della giurisdizione nell'ordinamento democratico ... le correnti dell'Associazione nazionale magistrati – anche se, per fortuna, non tutte in egual misura – si sono trasformate in macchine elettorali per il Consiglio Superiore della Magistratura e quella occupazione delle istituzioni da parte dei partiti politici, che è alla base della questione morale, si è puntualmente presentata in seno all'organo di governo della Magistratura; con note di pesantezza sconosciute anche in sede politica. La caccia esasperata e ricorrente al

voto del singolo magistrato e la difesa corporativa della categoria sono divenute, in alcune correnti più delle altre, le attività più significative della vita associativa e, al di là di mere declamazioni di principio, nei fatti il dibattito ideologico è scaduto a livelli intollerabili. ... Era inevitabile, infatti ... che tendesse a prevalere rispetto alla figura del magistrato-professionista, quella del magistrato-impiegato; e cioè quella del magistrato-burocrate, il quale, intimidito dagli attacchi esterni alla sua indipendenza ed indifeso per la sostanziale inerzia dei propri organismi rappresentativi, si rifugia nelle comode e tranquillanti certezze di una carriera ispirata al criterio dell'anzianità senza demerito.

Antonino Caponnetto, a sua volta, dopo aver correttamente ricordato che «sarebbe sciocco negare l'apporto – anche culturale – che il dibattito tra le correnti ha offerto all'associazione», ammoniva: «L'unico appello che mi sento di fare ai giovani colleghi è di tenersi ancorati ai valori ideali, che vanno sempre anteposti a qualsiasi diatriba di corrente o di partito. L'esperienza mi ha insegnato quanti danni sono stati arrecati alla magistratura dalla politicizzazione».

E come si fa a dargli torto? «Ma questa è roba di vent'anni fa!» potrebbe venire in mente a qualcuno di osservare. Lo invito ad astenersi, per la semplice ragione che nel tempo la situazione è decisamente peggiorata.

Non è necessario dilungarsi per comprendere che, oltre a essere diventati «magistrati scomodi» per quei settori opachi della politica che non avevano alcun interesse a un serio ed efficace contrasto del fenomeno mafioso, tali risultavamo anche all'interno del mondo dell'associazionismo dei magistrati. E quindi, come lapidariamente denunciato da Falcone, del Csm, la sua più alta espressione rappresentativa, che non sprecherà neanche un'occasione per sancire la nostra «diversità» e isolarci.

L'operazione fu agevolata dalla campagna mediatica che ci additava alla pubblica opinione come giudici nient'affatto al di sopra di ogni sospetto, in quanto – a tacer d'altro – palesemente condizionati da una intollerabile «mania di protagonismo». Falcone e io, in particolare, venivamo inoltre indicati come «toghe rosse», vicini cioè al Partito comunista.

Il segnale politico era lanciato. La nostra estraneità al sistema di potere veniva sancita dall'attribuzione di un'appartenenza politica, storicamente utilizzata per l'identificazione del nemico da combattere. Ruolo per tradizione riservato a chi risultava refrattario a ogni tentativo di blandirlo e controllarlo.

Il fatto che nessuno dei due simpatizzasse per quel partito, com'era risaputo negli ambienti che frequentavamo e non solo, poco importava. Il marchio dell'ignominia non discende dalla verità, ma dalla convenienza, unica regolatrice dell'esercizio del potere.

«Ma tu te lo mangeresti un bambino?» chiesi un giorno a Falcone. «No!» fu la risposta. «Ma che razza di comunista sei!» esclamai. Sembrava, in effetti, di essere ripiombati nei lontani anni Cinquanta.

Paolo Borsellino, nel frattempo, era stato nominato procuratore della Repubblica di Marsala. Il 10 gennaio 1987, il «Corriere della Sera» pubblicò un articolo a firma di Leonardo Sciascia dal titolo *I professionisti dell'antimafia*, destinato a essere strumentalizzato contro di noi senza ritegno.

L'autorevolezza e la storia personale rappresentate da quella firma furono trasformate in un contributo, prezioso quanto inaspettato, alla campagna di delegittimazione della quale da tempo eravamo incolpevoli bersagli.

Strano ma vero, il «pezzo» non era felicissimo nella forma. Prendeva avvio da due autocitazioni tratte da *A ciascuno il suo* e da *Il giorno della civetta*, proseguiva con un commento a una recente opera di un giovane studioso inglese, Christopher Duggan, dal titolo *La mafia durante il fascismo*, per concludere che «l'antimafia è stata allora strumento di una fazione, internamente al fascismo, per il raggiungimento di un potere incontrastato e incontrastabile». Sciascia ne traeva la seguente morale: «L'antimafia come strumento di potere. Che può benissimo accadere anche in un sistema democratico retorica aiutando e spirito critico mancando». Gli esempi erano due: uno, «ipotetico», faceva riferimento a Leoluca Orlando, l'altro, «attuale ed effettuale», a Paolo Borsellino. A proposito del quale lo scrittore riportava un brano della delibera del Csm che gli aveva assegnato il posto di procuratore a Marsala, a scapito della maggiore anzianità vantata dai suoi concorrenti, per concludere: «I lettori, comunque, prendano atto che nulla vale più in Sicilia, per fare carriera nella magistratura, che prendere parte a processi di stampo mafioso».

È vero che in seguito, con un'intervista alla rivista «Il segno», Sciascia corresse decisamente il tiro, ma il pasticcio si rivelò lo stesso non più rimediabile. I cosiddetti antifalconiani poterono fregiarsi di una legittimazione culturale e civile di adamantina provenienza.

Fu un vero peccato, perché la denuncia era del tutto condivisibile, solo che Borsellino non c'entrava niente, come riconobbe lo stesso Sciascia in occasione di un colloquio assai cordiale con l'interessato.

Nessuno in magistratura ha fatto carriera grazie all'impegno nei «processi di stampo mafioso». Non pochi, anzi, ne hanno pagato il prezzo. Ciò non toglie che l'elenco dei «professionisti dell'antimafia» è talmente lungo che non vale neanche la pena di cimentarsi ad abbozzarlo. È un mestiere che ha assicurato a molti la via d'uscita dall'inesorabile anonimato a cui erano condannati.

Lo sostenni, a caldo, in occasione di un dibattito organizzato a Milano da «Società Civile», discutendo con Piero Ostellino e Corrado Stajano. La sintesi del mio pensiero era: «L'articolo è giusto, l'esempio è sbagliato». E pensare che i seguaci di Orlando reagirono definendo Sciascia «un quaquaraquà». Invasati e puerili.

L'opprimente vita dell'aula bunker, intanto, continuava a riempire le mie giornate. La pausa d'agosto mi regalò un'indimenticabile vacanza: dieci giorni a Skiatos, in pieno Egeo, con Natalia, Giovanni e Francesca ma, soprattutto, senza l'ombra di una scorta. Affittammo due motorini, una macchina e un gommone. Non riuscivamo a stare fermi. Era una dimensione banalmente normale, ma per noi altrettanto banalmente eccezionale. Neanche un minuto di quella ritrovata libertà doveva essere sprecato. «Roba da psicoanalista!» sentenziò Falcone, e aveva ragione. «Sì, però dallo strizzacervellì ci si va dopo, intanto godiamocela» rispondemmo all'unisono. «La qualità della vita non è determinata dalle grandi cose, ma dalle piccole a condizione di essere capaci di apprezzarle.» Lezione di filosofia della vita impartita dal sottoscritto al tramonto in gommone sul finire della prima bottiglia di vino, mentre Giovanni si ostinava a pescare senza alcun apprezzabile risultato.

Lo presi in giro per questo e lui replicò: «Ma non ti ricordi quel giorno alle Eolie quanti pesci abboccarono?». «Sì, me lo ricordo. Alle Eolie, però, con i sommozzatori della polizia che s'immergevano di nascosto per farti contento. Erano loro che ogni tanto infilavano un pesce nel tuo amo, se no stavamo freschi pure lì» m'inventai.

L'11 novembre la Corte d'assise si ritirò in camera di consiglio al termine dell'udienza numero 349. Il dibattimento si era protratto per 1820 ore, gli interrogatori erano stati 1314, gli atti processuali ammontavano a 666.000 fogli. Restava da aspettare solo la sentenza.

Non temevo affatto una débâcle, ma l'emozione era lo stesso quella dei momenti che contano. Mi tornava in mente la sensazione dell'esame da superare e della bocciatura da evitare, che avrebbe mortificato i sacrifici sopportati per anni dagli altri colleghi.

Il 16 dicembre alle 19.30, dopo trentacinque giorni di camera di consiglio, in un'aula affollatissima, il presidente Giordano lesse d'un fiato l'interminabile dispositivo. La parola «ergastolo» risuonò per diciannove volte. Gli anni di carcere inflitti furono 2665. Gli oltre duecento imputati presenti ascoltarono increduli, quasi impietriti.

Sentii la toga che indossavo diventare pesante come la mano dello Stato che rappresentavo. La mia nota «visione competitiva del processo» mi spinse a sussurrare a Signorino: «È fatta. Abbiamo vinto!».

XI

L'uomo giusto

Gli echi della sentenza si propagarono al di là di ogni immaginabile confine. La reputazione del nostro Stato riprese quota. Ne eravamo orgogliosi. L'avevamo servito come meglio non si poteva. Era, perciò, lecito attendersi dalle istituzioni risposte coerenti.

La prima, in ordine di tempo, nonché la più importante, competeva al Consiglio superiore della magistratura. Doveva essere l'inizio. Fu la fine.

Nino Caponnetto, esaurita la sua missione a Palermo, aveva deciso di rientrare a Firenze. La sua domanda era stata accolta. Si apriva ufficialmente il problema della sua successione. Falcone era l'erede naturale.

Fra gli altri aspiranti, Antonino Meli era il più anziano, prossimo alla pensione, non aveva mai fatto il giudice istruttore e, in tutta la carriera, si era occupato di un solo processo di mafia. Aveva avanzato domanda anche per il posto di presidente del tribunale di Palermo di prossima assegnazione, esibendo, anche in questo caso, la sua vetusta anagrafe. Ma un consigliere superiore della magistratura, accompagnato da un altro magistrato, lo convinse stranamente a revocare quella domanda per puntare solo alla poltrona di capo dell'ufficio istruzione. La trappola era pronta a scattare.

Si scontravano due certezze: gli straordinari meriti di Falcone, da un lato; i sedici anni di maggiore anzianità di Meli, dall'altro. Il resto era aria fritta.

Ma lasciamo la parola ad alcuni protagonisti della «sofferta» scelta. Innanzitutto, il relatore della pratica Umberto Marconi:

> L'uomo giusto, non è, pertanto, quegli che si prospetta, in ipotesi, preliminarmente il più idoneo alla copertura di un determinato posto, volta per volta oggetto di concorso, nel quale le qualità professionali vengano commisurate anche alle specificità ambientali, ma è, innanzitutto, quello scelto con criteri giusti, e cioè legittimi.

A proposito di Falcone, invece:

> Se innegabili e particolarissimi sono i meriti acquisiti da quest'ultimo nella gestione razionale, intelligente ed efficace – animata da una visione culturale profonda del fenomeno criminale in oggetto e da un coraggio ed una abnegazione a livelli elevatissimi – dei compiti istruttori attinenti ai più gravi processi per la repressione della criminalità mafiosa ... tuttavia queste notazioni non possono essere invocate per determinare uno scavalco di sedici anni circa.

Era lo stesso Csm che, un anno prima, nel nominare Paolo Borsellino procuratore della Repubblica di Marsala, aveva fatto ricorso alla seguente prosa, giudicata da Sciascia tutt'altro che «un modello»:

> Per quanto concerne i candidati che in ordine di graduatoria (di anzianità) precedono il dott. Borsellino, si impongono oggettive valutazioni che conducono a ritenere, sempre in considerazione della specificità del posto da ricoprire e alla conseguenza che il prescelto possegga una specifica e particolarissima competenza professionale nel settore della delinquenza organizzata in generale e di quella di stampo mafioso in particolare, che gli stessi non siano, seppure in misura diversa, in possesso di tali requisiti con la conseguenza che, nonostante la diversa anzianità di carriera, se ne impone il superamento da parte del più giovane aspirante.

Riguardo a Falcone, l'antifona cambia:

> Accentrare il tutto in figure emblematiche, pur nobilissime, è di certo fuorviante e pericoloso ... Si trasmoda nel mito, si postula una infungibilità che non risponde al reale, mortifica l'ordine giudiziario nel suo complesso ed espone a gravissimi rischi soggettivi ed oggettivi chi vi indulga.

Esaurita la relazione, si aprì il dibattito. I nomi contano fino a un certo punto. Le istituzioni prescindono dalle persone che temporaneamente le rappresentano.

La nomina di Falcone non «costituirebbe un effettivo rafforzamento della risposta giudiziaria all'attacco portato dalla mafia. Come consigliere istruttore, infatti, il dott. Falcone sarebbe obbligato a far fronte alle esigenze di organizzazione generale di un ufficio senz'altro oneroso, mentre, proprio al fine di non depotenziare le sue capacità di incidenza nella lotta alla mafia, appare preferibile che il dott. Falcone possa continuare ad occuparsi di tale fenomeno in una posizione di prima linea» (Tatozzi).

Falcone «molto ha fatto – si sente dire in giro e non solo dall'uomo della strada –, molto ha realizzato, molto ha rischiato di persona, e dunque molto egli merita. In realtà non può esservi premio per l'adempimento del dovere, neppure quando si tratti di inedito e straordinario adempimento. L'adempimento del dovere sarebbe non onorato, ma inquinato dal premio» (Borrè).

E come non ricordare «quella sparuta pattuglia di samurai che si buttò generosamente a corpo morto, con immani sacrifici e rischi personali, nel contrasto giudiziario alla barbarie mafiosa in un momento in cui le strade di Palermo erano letteralmente lastricate di morti ed i vertici istituzionali dell'Isola venivano impietosamente decapitati uno dopo l'altro ... Falcone è stato il migliore ... A preferirlo nella scelta mi è però di ostacolo la personalità di Meli, cui l'altissimo e silenzioso senso del dovere, poi sempre manifestato, costò in tempi drammatici la deportazione nei campi di concentramento nazisti della Polonia e della Germania, dove egli rimase prigioniero per due anni dal Settembre 1943 al Settembre 1945, sopravvivendo a stento» (Geraci). Mafia e nazismo. Ma chi ci aveva mai pensato!

I voti a favore di Meli furono quattordici (Agnoli, Borrè, Buonajuto, Cariti, Di Persia, Geraci, Lapenta, Letizia, Maddalena, Marconi, Morozzo della Rocca, Paciotti, Suraci e Tatozzi), quelli a favore di Falcone dieci (Abbate, Brutti, Calogero, Caselli, Contri, D'Ambrosio, Gomez d'Ayala, Racheli, Smuraglia e Ziccone), gli astenuti cinque (Lombardi, Mirabelli, Papa, Pennacchini e Sgroi).

Si passò, quindi, alla pratica successiva dell'ordine del giorno, avente a oggetto: «Visita in Sicilia preordinata allo studio di ipotesi normative ed organizzative connesse al fenomeno della criminalità organizzata, ... alla luce dei recenti avvenimenti di Palermo e del loro evidente significato di sfida allo Stato (soprattutto dopo la conclusione del maxi-processo) e di intimidazione a coloro che sarebbero in grado di dare un contributo alla giustizia. ... Ritenuta indispensabile un'iniziativa pronta ed efficace, che non solo testimoni l'attenzione e la presenza del Consiglio in un momento di particolare delicatezza, nonché la sua solidarietà ai magistrati più impegnati ed esposti».
L'esempio d'ipocrisia istituzionale, bisogna riconoscerlo, rimane inarrivabile.

Ero a casa Falcone quando da Roma arrivò la telefonata che comunicava l'esito, ormai previsto, della votazione. La voce dei nostri colleghi del Csm che si erano battuti per sostenere la sua candidatura era rotta dall'emozione e dallo sdegno. Avevano perso. Ci eravamo sentiti spessissimo nelle ultime settimane per cercare di trovare una soluzione che, con l'andare del tempo, andavamo percependo sempre più lontana.

Oltre a Vito D'Ambrosio, mi aveva chiamato più volte Giancarlo Caselli. Era avvilito perché non riusciva a far convergere su Giovanni neanche gli altri due voti della sua corrente. La scelta l'aveva fatta, ma gli pesava molto, perché rompeva con la posizione ufficiale di Magistratura democratica, favorevole a Meli. Tenne duro lo stesso sino in fondo.

Mi telefonò anche un membro laico, Fernanda Contri: piangeva. Il mio vecchio amico Michele Figurelli, un comunista che aveva seguito la vicenda anche per orientare gli umori del suo partito, non mi risparmiò l'ennesima telefonata per comunicarmi l'amarezza della delusione. Tra i politici era una rarità al pari, guarda caso, del suo «compagno» Luigi Colajanni.

La sconfitta personale di Giovanni era indiscutibile, ma non era detto che tutto fosse perduto. Meli avrebbe trovato una squadra collaudata alla perfezione. «Visti i risultati che abbiamo ottenuto, può darsi che decida di assicurare continuità all'opera di Caponnetto. Per noi non cambierebbe nulla. Tutto sommato, se tutto rimane com'è, sai quanto me ne frega di non essere io il capo?» fu la prima riflessione di Falcone. Era, come al solito, sincero. «Ma sì, specialmente dopo la sentenza del maxiprocesso, perché dovrebbe mettere mano al pool? Anzi dovrebbe sentire il dovere di convocarvi subito per chiedervi di cosa avete bisogno. Se lo fa, sai che ti dico? Che sono pure disposto a perdonare il Csm!» Ero sincero anch'io. Francesca ci rivolse una sola parola: «Visionari».

Il mio rientro in ufficio dopo quasi due anni di aula bunker fu a dir poco scioccante. I vertici della procura erano cambiati dopo la nomina di Pajno a procuratore generale. Un'epoca si era chiusa e se ne era aperta un'altra, quella dei magistrati-burocrati. La mafia non era più una priorità, la specializzazione era un optional: tutti si dovevano occupare di tutto. Come ai bei tempi andati, troppo a lungo rimpianti, ma che ora potevano tornare d'attualità.

Il maxiprocesso era stato una specie di incidente di percorso, che aveva comportato un rivoluzionamento intollerabile della prassi giudiziaria e, perciò, da correggere al più presto.

Non c'erano né contiguità né collusioni. Nessuna dietrologia, credo. Era stata sufficiente la vittoria assegnata dal Csm alla gerontocrazia per scatenare il grido di riscossa dei travet della toga, assai più numerosi rispetto ai pochi magistrati-professionisti e, perciò, dotati di un peso elettorale determinante. I cosiddetti «umori della base» erano stati percepiti e assecondati, secondo le elementari regole che presiedono alla raccolta del consenso e, quindi, alla continuità della corporazione. L'ufficio istruzione, sotto la guida del nuovo capo, era diventato la punta di diamante della restaurazione.

Paolo Borsellino, a un certo punto, senza consultarsi con nessuno, decise che tacere e sopportare era un errore. Rilasciò un'intervista alla «Repubblica» il 20 luglio 1988.

> La lotta alla mafia? I segnali non sono certo molto incoraggianti. Per almeno tre ragioni: il giudice Falcone non è più il titolare delle grandi inchieste che iniziarono con il maxiprocesso, la Polizia non sa più nulla dei movimenti dentro Cosa Nostra, e poi ci sono seri tentativi per

smantellare definitivamente il pool antimafia dell'ufficio istruzione e della Procura della Repubblica di Palermo. Stiamo rischiando di creare un pericoloso vuoto, stiamo tornando indietro come dieci, venti anni fa.

Adesso la filosofia è un'altra: tutti si devono occupare di tutto e il consigliere Antonino Meli, dopo un tira e molla di qualche mese, è diventato il titolare dello stralcio del maxiprocesso. C'è stato un taglio netto con il passato ...

Succedono cose molto strane ... prima tutte le indagini antimafia venivano centralizzate a Palermo. Solo così si è potuto creare il maxiprocesso, solo così si è potuto capire Cosa Nostra ed entrare nei suoi misteri. Adesso si tende a dividere la stessa inchiesta in tanti tronconi e così si perde inevitabilmente la visione del fenomeno. Come vent'anni fa ...

La situazione delle forze investigative è molto chiara: non esiste una sola struttura di Polizia in grado di consegnare ai giudici un rapporto sulla mafia degno di questo nome ... L'ultimo dossier di un certo peso l'abbiamo ricevuto sei anni fa, esattamente il 31 luglio 1982 ...

Perché dopo tanti anni di lavoro, prigioniero del bunker di Palermo, sento il dovere di denunciare certe cose? È anche perché non sono venuto qui a Marsala per isolarmi. Io sono venuto ... per continuare ad occuparmi di mafia ...

E invece tutto questo non sembra più possibile. Le indagini si disperdono in mille canali e intanto Cosa Nostra si è riorganizzata, come prima, più di prima.

Una bomba. C'era tutto Paolo in quelle parole, il suo coraggio, la sua forza morale, la sua onestà intellettuale e, se mi è consentito, le sue palle.

«Un errore, un generoso errore» fu il commento che ricevetti a caldo da Falcone. Non ero d'accordo, qualcuno prima o dopo doveva farla sentire la nostra voce. «Succederà un casino che non approderà a nulla, vedrai» concluse Giovanni. Non successe niente. Era come se al Csm «la Repubblica» non arrivasse. Incredibile e inquietante.

Lo notò anche il presidente della Repubblica Francesco Cossiga, che decise di rompere quell'imbarazzante silenzio, lanciando un forte allarme indirizzato ai ministri della Giustizia e dell'Interno e al Csm. Tutti sollecitati, senza giri di parole, a intervenire e a comunicargli al più presto «ogni elemento utile di conoscenza e le misure ritenute necessarie per fronteggiare la situazione». Grande Cossiga! Neanche il suo nobile richiamo servì, però, a cambiare la situazione denunciata da Paolo.

Il Csm fu il più solerte. Una serie di audizioni dei magistrati a vario titolo coinvolti dalla pubblica denuncia di Borsellino, me compreso, culminò nell'approvazione di un documento, che passò con sette voti favorevoli e quattro contrari, con cui si respingeva la fondatezza dell'impietosa analisi di Paolo. Dopo che Falcone, per amor di patria, cedendo alle pressioni, piovutegli addosso da ogni parte, aveva ritirato la lettera di dimissioni inoltrata al presidente del tribunale di Palermo.

Ne riporto qualche brano:

> Ho tollerato in silenzio in questi ultimi anni in cui mi sono occupato di istruttorie sulla criminalità mafiosa, le inevitabili accuse di protagonismo o di scorrettezze nel mio lavoro. Ritenendo di compiere un servizio utile alla società, ero pago del dovere compiuto e consapevole che si trattava di uno dei tanti inconvenienti connessi alle funzioni affidatemi.
>
> Ero inoltre sicuro che la pubblicità dei relativi dibattimenti avrebbe dimostrato, come in effetti è avvenuto, che le istruttorie alle quali ho collaborato erano state condotte nel più assoluto rispetto della legalità. Quando poi si è prospettato il problema della sostituzione del Consigliere istruttore di Palermo, dott. Caponnetto, ho avanzato la mia candidatura, ritenendo che questa fosse l'unica maniera per evitare la dispersione di un patrimonio prezioso di conoscenze e di professionalità che l'ufficio cui appartengo aveva globalmente acquisito ... Il ben noto esito di questa vicenda non mi riguarda sotto l'aspetto personale e non ha per nulla influito, come i fatti hanno dimostrato, sul mio impegno professionale. Anche in quell'occasione però ho dovuto registrare infami calunnie ed una campagna denigratoria di inaudita bassezza, cui non ho reagito solo perché ritenevo, forse a torto, che il mio ruolo mi imponesse il silenzio. ... Quel che paventavo purtroppo è avvenuto: le istruttorie nei processi di mafia si sono inceppate e quel delicatissimo congegno che è il gruppo cosiddetto antimafia dell'ufficio istruzione di Palermo ... è ormai in stato di stallo.
>
> Paolo Borsellino, della cui amicizia mi onoro, ha dimostrato ancora una volta il suo senso dello Stato e il suo coraggio, denunciando pubblicamente omissioni e inerzie nella repressione del fenomeno mafioso che sono sotto gli occhi di tutti. Come risposta è stata innescata un'indegna manovra per tentare di stravolgere il profondo valore morale del suo gesto riducendo tutto a una bega fra cordate di magistrati, ad una reazione, cioè, di magistrati protagonisti...
>
> Ciò non mi ferisce particolarmente a parte il disgusto per chi è capace di tanta bassezza morale ... ed allora, dopo lunga riflessione, mi sono reso conto che l'unica via praticabile ... è quella di cambiare imme-

diatamente ufficio. E questa scelta, a mio avviso, è resa ancora più opportuna dal fatto che i miei convincimenti sui criteri di gestione delle istruttorie divergono radicalmente da quelli del consigliere istruttore ...

Firmato: il giudice che mezzo mondo ci invidiava.

Ma perché Giovanni, a un certo punto, ritenne opportuno revocare la sua richiesta di trasferimento ad altro ufficio? Io lo so, perché ne parlammo a lungo e fui d'accordo. Preferisco, tuttavia, che la spiegazione si ricavi dalla dichiarazione pubblica che Borsellino rese a Palermo anni dopo, il 25 giugno 1992, a proposito della sua intervista alla «Repubblica»: «Per avere denunciato questa verità io rischiai conseguenze professionali gravissime, ma quello che è peggio il Consiglio superiore immediatamente scoprì quale era il suo vero obiettivo: proprio approfittando del problema che io avevo sollevato doveva essere eliminato al più presto Giovanni Falcone».

Il ritiro della lettera servì a raffreddare lo scontro e molto probabilmente a salvare Paolo dalle ire del Csm. Il «casino» che Falcone aveva sin dall'inizio temuto, quale unico effetto della denuncia di Paolo, era puntualmente scoppiato, ma almeno era stato in qualche modo contenuto.

Borsellino proseguì in quella dichiarazione sulla «eliminazione» di Falcone: «E forse questo io lo avevo messo pure nel conto perché ero convinto che lo avrebbero eliminato comunque: almeno, dissi, se deve essere eliminato l'opinione pubblica lo deve sapere, lo deve conoscere, il pool antimafia deve morire davanti a tutti, non deve morire in silenzio». E parlò pure della «protervia del consigliere istruttore», tanto caro al Csm.

Ma le sorprese dell'estate 1988 non erano finite.

Il governo procedette all'unanimità alla nomina del nuovo alto commissario per la lotta alla mafia. La scelta cadde su un magistrato abile e di grande esperienza: Domenico Sica, all'epoca sostituto procuratore della Repubblica a Roma. Si precipitò subito a Palermo e il 13 agosto convocò, nei saloni della prefettura, una conferenza stampa nel corso della quale, alle domande dei pochi giornalisti intervenuti, rispose testualmente: «La mafia? Sono qui per capire cos'è. Nei primi tempi ascolterò molto». Risposta chiara e onesta. Si può dire lo stesso dell'allora ministro dell'Interno Gava che, con quella nomina, aveva assicurato che «la musica» sarebbe cambiata? Non c'era proprio nessuno in giro capace di occuparsi con serietà di lotta alla mafia senza bisogno di dover prima capire cos'era? Il governo aveva così servito al meglio le istituzioni? Una di sicuro. E sappiamo pure quale, anche se non compare nell'elenco ufficiale. L'operazione «isolamento-Falcone» era compiuta.

Anche di questo parlò Borsellino senza peli sulla lingua, come sempre: «Ho letto giorni fa ... un'affermazione di Antonino Caponnetto secondo cui Giovanni Falcone cominciò a morire nel gennaio 1988. Io condivido questa affermazione ... perché oggi che tutti ci rendiamo conto di quale sia stata la statura di quest'uomo, ripercorrendo queste vicende della sua vita professionale, ci accorgiamo come in effetti il Paese, lo Stato, la magistratura che forse ha più colpe di ogni altro cominciò proprio a farlo morire il 1° gennaio 1988 ... quando Falcone, solo per continuare il suo lavoro, propose la sua candidatura a succedere ad Antonino Caponnetto e il Consiglio Superiore della Magistratura con motivazioni risibili gli preferì il consigliere Antonino Meli». Aggiunse, infine, Paolo che «qualche Giuda si impegnò subito a prenderlo in giro».

Anche Falcone, d'altronde, era uno che non le mandava a dire. In un convegno su «La mafia alle soglie degli anni '90», tenutosi a Palermo nel giugno 1988, chiarì che:

> Il declino di Cosa Nostra, più volte annunciato, non si è verificato e non è purtroppo prevedibile. È vero che non pochi uomini d'onore, alcuni anche di importanza primaria, sono attualmente detenuti, tuttavia i vertici di Cosa Nostra sono latitanti e non sono sicuramente costretti all'angolo ...
>
> Le indagini di polizia giudiziaria, ormai da qualche anno, hanno perso di intensità e di incisività ... le notizie in nostro possesso sull'attuale consistenza dei quadri mafiosi e sui nuovi adepti sono veramente scarse. ...
>
> Non pochi uomini politici siciliani sono stati e sono ancora, a tutti gli effetti, adepti di Cosa Nostra ...
>
> Al di sopra dei vertici organizzativi non esistono «terzi livelli» di al-

cun genere che influenzano gli indirizzi di Cosa Nostra ... in tanti anni di indagini non sono emersi elementi per autorizzare il sospetto che esista una direzione strategica occulta di Cosa Nostra ...

Sarò anche considerato un profeta di sventura, ma non è possibile trarre buoni auspici dalla drastica riduzione dei fatti di sangue che per altro si è verificata solo nel palermitano e che dipende in minima parte dall'azione repressiva.

In questa «profezia» risiedeva, invece, la spiegazione di tutto: del prima, del durante e del dopo. Ne parlammo la sera precedente il convegno, a casa sua, al termine della lettura della sua relazione, sulla quale mi aveva chiesto un parere.

«Il calendario dell'antimafia lo scrive la mafia» affermai. Ne ero convinto da tempo. Poi aggiunsi che nei palazzi romani riscoprono la mafia soltanto in occasione dell'uccisione di un rappresentante delle istituzioni o quando gli omicidi superano una certa soglia, diventano troppi e allarmano la pubblica opinione. La prova sta nel fatto che, puntualmente, in tali occasioni il termine usato dai nostri rappresentanti politici è quello di «emergenza mafiosa». Una castroneria colossale.

La parola emergenza ha un significato preciso, legato all'insorgere di una circostanza o di una eventualità non prevista. Com'è possibile adoperarla a proposito di un fenomeno criminale che è sicuramente più antico dell'unità d'Italia? Perché quando non ammazza la mafia è come se non ci fosse. Punto e basta. Quella che loro chiamano «emergenza» impone un intervento delle istituzioni, una risposta, per impedire un'inevitabile caduta di credibilità agli occhi della collettività.

In quel momento alla cosiddetta antimafia viene concessa visibilità, accompagnata magari anche da mezzi e strumenti elargiti con declamatoria assunzione di impegni e responsabilità. Quando la stagione degli omicidi viene meno, ovviamente per esclusiva decisione della mafia, piano piano si scopre che l'emergenza è finita. Il ritorno alla normalità a quel punto va in automatico. Con il risultato che tutti coloro che hanno capito che l'emergenza non c'entra niente e che bisogna proseguire nell'impegno senza soste né pause, diventano fastidiosi e da disinnescare per quella parte del potere direttamente o indirettamente collegata agli interessi mafiosi. I segnali politici si fanno chiari: chi deve intendere intende, e la mafia finisce per vincere pure ai tavoli ai quali non siede.

«È così da sempre e, contrariamente a quanto per un certo periodo abbiamo sperato, così continuerà a essere. Altro che effetto traino, ti ricordi? Se da domani, per affari loro, questi dovessero ricominciare ad ammazzare, Falcone tornerebbe a essere un eroe nazionale. Sin quando non smettono. È il tuo calendario che viene scandito da Cosa nostra, caro Giovanni, non viceversa. Le ricorrenti polemiche sul "calo di tensione" nella lotta alla mafia sarebbero più serie se prendessero atto che il "calo" lo determina la "cupola" non ammazzando, e non lo Stato, che è capace di giocare soltanto di rimessa. Non abbiamo sempre sostenuto che è a Roma che si vince o si perde? E noi abbiamo perso, anche se non siamo stati sconfitti, ma questo lo sappiamo in pochi.»

«Quando dici che non siamo stati sconfitti, mi piaci» ironizzò «perché la nostra parte dobbiamo continuare a farla fino in fondo, nella situazione data, certo, ma senza piegare la schiena e chissà che un giorno...»

Pensai al «visionari» rifilatoci da Francesca. Sì, come tanti altri grandi uomini, Giovanni in fondo lo era. Io no, e replicai: «Ti comunico ufficialmente che, approfittando dell'estate, mi concederò una pausa di riflessione».

Fu anche il modo di troncare una conversazione che sapevo bene dove sarebbe andata a parare. Avremmo ricordato le parole del generale Dalla Chiesa sulla «combinazione» per cui si muore solo quando si è pericolosi ma, al tempo stesso, isolati. Lo sapevamo tutti e due che quella «combinazione», grazie al Csm, era diventata la sua. Non c'era bisogno di spingere l'analisi sino a quel punto. Anche l'implicito ha una sua dignità.

La rispettai, anche perché le note della *Messa da Requiem* di Verdi, diffuse quella sera dallo stereo, mi piacevano meno del solito. Non gli chiesi di cambiare cd. Lo avevo fatto per anni e, invece, per una volta me ne andai e lo lasciai in pace ad ascoltare la sua musica preferita.

I segnali della cosiddetta normalizzazione erano imbarazzanti, tanto che avevo appena finito di dire a Falcone: «È come se ci avessero spedito un telegramma o una raccomandata con la comunicazione ufficiale: avete chiuso!».

La situazione della polizia era, tra tutte, la più sintomatica, come avevano rilevato in pubblico sia Borsellino che Falcone. Non si trattava soltanto di una conclamata inefficienza: c'era un preciso disegno politico.

Nel gennaio di quell'anno era stato ucciso a Palermo l'ex sindaco democristiano Giuseppe Insalaco. L'«agenzia funebre» normalmente incaricata di trafugare i documenti della vittima questa volta aveva fallito.

Era stato così ritrovato e acquisito agli atti il cosiddetto «memoriale Insalaco», una specie di diario che conteneva pesantissime accuse nei confronti di vari esponenti del potere dominante a proposito dell'intreccio di interessi tra mafia e politica. Memoriale scritto, per di più, da uno che si sentiva ormai braccato, ma che conosceva dal di dentro quella innegabile realtà per averci convissuto una vita intera.

All'inizio di agosto il settimanale «L'espresso» pubblicò un articolo che ricostruiva lo stato delle indagini su quell'omicidio. Vi si leggeva, in particolare, che «il dr. Saverio Montalbano, dirigente della Squadra investigativa della Mobile di Palermo, dopo avere ricevuto il diario Insalaco, legge e rilegge attentamente quegli appunti, controlla le date, compie un paio di verifiche, alla fine si convince della loro attendibilità e nel suo rapporto parla di lobbies politico-imprenditoriali, comitati d'affari, mafia ed appalti: è lì che va cercata la ricostruzione del delitto».

La Palermo del potere tremò, ma adottò subito adeguate contromisure. Montalbano fu chiamato dai suoi superiori, invitato a depennare la frase «sistema di potere politico-mafioso» e spedito a godersi le meritate ferie. Al ritorno trovò la sua poltrona occupata. Era stato trasferito a dirigere un commissariato di periferia.

Identica sorte fu riservata a un altro funzionario, che per anni aveva diretto la squadra omicidi ed era considerato l'ultima memoria storica della stagione delle grandi indagini, il dottor Francesco Accordino.

Si era permesso, in quell'estate di fuoco, di dichiarare la verità ai microfoni di Ennio Remondino del Tg1. E cioè che a Palermo era legittimo il sospetto che qualche funzionario della questura lavorasse per la normalizzazione e non per il contrasto alla mafia. Fu mandato a dirigere il commissariato di polizia postale di Reggio Calabria. Le indagini sulle raccomandate rubate non erano meno importanti di quelle sulla criminalità organizzata.

Le vicende che riguardavano la polizia erano sintomatiche, data la sua diretta dipendenza dal potere politico. La sinergia con il Csm era solare, nei fatti. Non credo nelle volontà. Non in tutte, almeno.

E a Palazzo di giustizia? C'è un episodio che, per rendere l'idea, non può essere sottaciuto. Nel mese di marzo «l'Unità» e «la Repubblica» pubblicarono alcuni stralci delle dichiarazioni rese a Falcone da un pentito di grosso calibro, Antonino Calderone, che porteranno all'emissione di ben 166 mandati di cattura. La fuga di notizie questa volta c'era stata, ma nulla accadde: si trattava, infatti, di vicende che coinvolgevano solo e soltanto uomini di Cosa nostra.

Le successive edizioni dei due quotidiani diedero conto, però, delle rivelazioni concernenti i rapporti tra mafia, imprenditoria e politica. Calderone, sul punto, era stato assai meno cauto di Buscetta. Successe un putiferio. L'onorevole Salvo Lima, di solito assai prudente e riservato, reagì nervosamente con un pungente comunicato. Era il 13 marzo. Il 16 i due giornalisti responsabili della violazione del segreto istruttorio, Saverio Lodato e Attilio Bolzoni, furono sbattuti in galera con la cervellotica accusa di concorso in peculato, per essersi appropriati delle fotocopie dei verbali pubblicati, malgrado l'esito del tutto negativo delle accurate perquisizioni che avevano subito. Un'imputazione più strampalata non era stata mai concepita nella storia giudiziaria italiana.

L'iniziativa, purtroppo, era partita dal mio ufficio, ma la definii folle lo stesso. Il tribunale della libertà, come ovvio, la cestinò pochi giorni dopo, scarcerando i due malcapitati. Ma questo poco importava. Chi l'aveva adottata aveva fatto lo stesso, o almeno così credeva, la sua bella figura davanti ai potenti la cui maestà era stata tanto ignobilmente lesa. Aveva offerto il suo modesto, ma sincero contributo all'imperante normalizzazione.

Tutto sommato si era trattato soltanto della privazione della libertà personale di due onesti cittadini italiani per miseri sei giorni. E che sarà mai!

All'ufficio istruzione, nel frattempo, il clima era ulteriormente peggiorato. Meli non perdeva occasione per liberare il suo livore, polemizzando a più non posso con Falcone, sino ad accusarlo di aver favorito il potente costruttore catanese Costanzo, evitando di arrestarlo malgrado le gravi prove raccolte.

Capii quel poco che mi restava da capire: tutti gli interrogatori di Pasquale Costanzo erano stati condotti da Falcone in mia presenza e la situazione processuale era in concreto identica a quella dei cugini Salvo prima delle dichiarazioni di Buscetta. Emergevano indizi del tutto insufficienti ad autorizzare l'emissione di un provvedimento restrittivo. I casi erano due e due soltanto: o Meli era in malafede o non possedeva un'adeguata professionalità. *Tertium non datur.*

La vicenda, guarda caso, finì sul «Giornale» il 19 novembre 1988. Il titolo dell'articolo era *Maccartismo a Palermo*, la firma era di una parlamentare di strettissima osservanza andreottiana. Vi si leggeva: «Altrettanto favorevole è il giudizio al riguardo di Meli. Ci voleva, evidentemente, un magistrato spigoloso e tradizionale anche nella sua ostinazione per inceppare quel meccanismo» (il metodo Falcone). Andava perciò «dato atto al Csm di avere operato con grande responsabilità». Il potere si annusava compiaciuto. La sponda politica faceva la sua parte.

Peppino Di Lello e Giacomo Conte, che era stato aggregato al pool, ne trassero la conseguenza a mio giudizio più seria. Presero atto di una situazione diventata insostenibile e formalizzarono la loro uscita dal gruppo di lavoro. Nessuna mediazione era più possibile. Una la tentai anch'io, forte della mia solida amicizia con Di Lello. Ma Peppino fu categorico:

«Non sono uomo per tutte le stagioni. La stagione è diventata un'altra e non mi piace». Rimasi in silenzio. Non sono mai stato capace di contraddire uno che la pensa come me, neanche in nome del più nobile dei fini. E in quella vicenda, oltretutto, di nobiltà non se ne vedeva neanche l'ombra. Ci trovammo, quindi, pienamente d'accordo nell'ammettere che la nostra avventura era tanto miseramente quanto irrimediabilmente finita.

Lo Stato aveva deciso di fermare se stesso proprio nel momento in cui stava registrando risultati esaltanti. E perché? Perché la mafia ce l'aveva dentro. Si faccia avanti chi è capace di dare una diversa risposta plausibile.

Una sentenza della Corte di cassazione di molti anni dopo, la n. 826 del 19 ottobre 2004, recita testualmente:

> Non vi è alcun dubbio che Giovanni Falcone, certamente il più capace e famoso magistrato italiano, ... fu oggetto di torbidi giochi di potere, di strumentalizzazioni ad opera della partitocrazia, di meschini sentimenti di invidia e di gelosia (anche all'interno delle istituzioni) tendenti ad impedire che egli assumesse quei prestigiosi incarichi i quali dovevano, invece, a lui esser conferiti per essere egli il più meritevole, sia perché il superiore interesse generale imponeva che il crimine organizzato fosse contrastato da chi si era indiscutibilmente dimostrato il più bravo, il più preparato e che offriva le maggiori garanzie – anche di assoluta indipendenza e coraggio – nel contrastare, con efficienza ed in profondità, l'associazione criminale. ... Vanno in proposito ricordate ... il mancato conferimento dell'incarico di consigliere istruttore del Tribunale di Palermo, la mancata designazione alla carica di Alto Commissario per il coordinamento della lotta alla mafia e, dopo l'attentato, la mancata nomina a Procuratore Nazionale antimafia e la mancata elezione al Csm.

L'assenza del «superiore interesse generale» spiega tutto, perché determina la libertà di movimento di una lunga serie di «interessi particolari», tra loro certamente disomogenei, ma orientati, ciascuno per la propria parte, alla salvaguardia del sistema di potere al cui interno traggono alimento. Quelli mafiosi, gestiti dai settori politici di riferimento, trovano così il loro terreno ideale.

I segnali della politica si susseguono e vengono recepiti non in chiave di consapevoli complicità o contiguità, ma di convergenza. E questo basta a far sì che ognuno si senta autorizzato a giocare fino in fondo il proprio ruolo, soddisfacendo gli interessi che rappresenta e nei quali si riconosce.

Falcone era personalmente stimato da tutti i protagonisti della «convergenza», mafiosi compresi. Ma la sua azione risultava sovversiva lo stesso e andava con ogni mezzo fermata. Ciascuno, così, usò i suoi. La sentenza ne offre un soddisfacente elenco.

Per essere il più chiaro possibile: il timore della perdita degli affari connessi all'aggiudicazione di miliardari appalti pubblici si muove all'unisono, per esempio, con il timore della perdita dell'anzianità come parametro principale dell'avanzamento in carriera. Sono tutt'e due certezze da difendere. Chi le minaccia diventa un nemico per gli uni come per gli altri, con le conseguenze che è superfluo ripetere. Così Cosa nostra trova i suoi alleati. E li tratta bene, perché li lascia liberi di credere che loro con gli interessi mafiosi non hanno proprio nulla a che fare. Li usa e ne strumentalizza con abilità debolezze e miserie, ben note ai politici di riferimento, che sanno come lavorarci sopra. Fa parte del loro mestiere.

Non scriverò mai, perché non lo penso, che quel famoso Csm era al servizio della politica filomafiosa, sarebbe un falso.

Ma c'è qualcuno che sappia indicarmi un alleato capace di assicurare alla mafia risultati più eclatanti in quel contesto storico?

XII
Incompatibilità ambientale

Falcone non si fermava, continuava imperterrito per la sua strada. Dopo Antonino Calderone, due nuovi pentiti, Gaspare Mutolo e Francesco Marino Mannoia, riempirono pagine e pagine di verbali, che portarono all'emissione di altre centinaia di mandati di cattura.

Il 19 giugno 1989 la mafia decise, perciò, che era arrivato il momento di fermarlo definitivamente. Un sub, confuso tra la folla dei bagnanti, piazzò sugli scogli, a una decina di metri dalla villa che Giovanni aveva preso in affitto all'Addaura, una borsa contenente cinquantotto candelotti di dinamite. L'innesco avrebbe provocato l'esplosione nel momento in cui il killer, che incrociava nei pressi a bordo di un canotto, avrebbe azionato un telecomando.

L'attentato fallì per un improvviso cambiamento di programma. Quel giorno Falcone aveva invitato a pranzo due colleghi svizzeri, Claudio Lehmann e Carla Del Ponte, venuti a Palermo per un'indagine su un importante giro di riciclaggio di danaro sporco tra Italia e Svizzera. Successe qualcosa per cui furono gli uomini della scorta ad accorgersi dell'insolita presenza della borsa, si guardarono bene dal sollevarla e portarono subito in salvo Giovanni.

Eravamo stati a cena tutti insieme la sera prima in un noto ristorante di Mondello. Ci saremmo rivisti l'indomani pomeriggio al Palazzo di giustizia. Quando ricevetti la telefonata di Falcone, pensai che volesse ricordarmi quell'appuntamento. E, invece, si limitò a dire: «Mi puoi raggiungere nel mio ufficio subito? Ho bisogno di parlarti».

Lo trovai teso. M'informò dell'accaduto con il suo solito tono pacato, misurando le parole: «Ci hanno provato sul serio. Il movente più probabile ha a che fare con il riciclaggio. La cosa che più mi inquieta è che dispongono di una talpa che li ha informati preventivamente del mio programma della giornata. Sono all'opera menti raffinatissime». La prima cosa che mi venne in mente di dire fu: «Non dobbiamo essere anche noi vittime del mito dell'infallibilità della mafia. Stavolta ha sbagliato. Non è, però, che oltre alla mafia c'è dell'altro?». Annuì. Se l'era chiesto anche lui, e si era già dato una risposta.

Un paio si settimane dopo rese pubblica la sua opinione. Rilasciò un'intervista, anche per lanciare un segnale deciso nei confronti di chi sosteneva che si era trattato di un semplice avvertimento e non di un attentato vero e proprio. E, ancor di più, in direzione di alcuni ambienti, incluse frange della magistratura, che alimentavano la voce secondo la quale: «L'attentato se l'era fatto lui».

Precisò, a scanso di equivoci, che «ci troviamo di fronte a menti raffinatissime che tentano di orientare certe azioni della mafia. Esistono forse punti di collegamento tra i vertici di Cosa Nostra e centri occulti di potere che hanno altri interessi. Ho l'impressione che sia questo lo scenario più attendibile se si vogliono capire davvero le ragioni che hanno spinto qualcuno ad assassinarmi ... sto assistendo all'identico meccanismo che portò all'eliminazione del Generale Dalla Chiesa ... Il copione è quello. Basta avere occhi per vedere».

Un distillato di impavida lucidità denunciava uno scenario inquietante. Le maglie dei giocatori erano ancora una volta mischiate. L'«agenzia funebre» parallela, per puro caso, non era dovuta intervenire, ma era stata di sicuro messa in preallarme.

Non successe nulla. Tuttavia le «menti raffinatissime», evocate da Falcone, raccolsero il segnale e passarono dalla dinamite a un altro strumento, meno cruento ma più subdolo: le lettere anonime del «Corvo», spedite proprio in quei giorni a indirizzi istituzionali.

Chiunque le avesse scritte, le missive furono il mezzo per rendere ancora più torbida l'aria sporca che eravamo costretti a respirare. La più allucinante recitava:

> De Gennaro, e con lui i vertici della Criminalpol romana, erano perfettamente a conoscenza del fatto che Contorno si recava a Palermo per colpire i corleonesi e per stanare e uccidere Totò Riina ... Tutto ciò era stato peraltro concordato anche con dei magistrati e in particolare con i giudici Falcone, Ayala e Giammanco con i quali in questi ultimi tempi De Gennaro si è incontrato a Palermo. ... De Gennaro quindi e i magistrati suddetti hanno inviato Contorno a Palermo ben sapendo che avrebbe commesso dei gravi reati. Si tratta di gravissime responsabilità se si considera che Contorno ha ucciso Mineo, Baiamonte, Aspetti, Messicati e Cerva. ... Si tratta di veri e propri omicidi di Stato. ... l'eventuale conclusione positiva dell'operazione interessa poi particolarmente a Falcone dal momento in cui si discute della sua nomina a Procuratore aggiunto della Repubblica di Palermo e anche per dare uno scacco all'Alto commissario Sica nei cui confronti non nutre eccessive simpatie, facendo, in tal modo, al tempo stesso, un favore ai suoi amici comunisti che in questi ultimi tempi non hanno lesinato, così come Ayala, attacchi all'Alto Commissario.

E dagli con i comunisti! Ma non bastava più. Eravamo diventati addirittura «assassini di Stato». *Shit* direbbero gli inglesi. Nient'altro che *shit*.

Salvatore Contorno era stato effettivamente arrestato nel palermitano dagli uomini della squadra mobile in un periodo in cui nel triangolo Bagheria-Casteldaccia-Trabia erano stati consumati numerosi omicidi. L'aveva tradito una telefonata fatta da un'utenza pubblica di Casteldaccia sottoposta a controllo in forza di un decreto che, guarda caso, portava la mia firma. La comunicazione fu intercettata e consentì alla polizia di porsi sulle sue tracce e catturarlo.

Spiegherà Contorno, che al tempo era libero, appena tornato dagli Stati Uniti e con il solo obbligo di telefonare due volte la settimana ai poliziotti per segnalare i suoi spostamenti: «Il mio Paese mi ha abbandonato, sono tornato dagli Usa e non mi è stata data una lira ... Ero venuto a Palermo a trovare mio cugino Gaetano Grado, l'ultima persona che mi è rimasta, per avere un po' di soldi ... ho collaborato e non è servito a niente. Non voglio più collaborare con lo Stato». Non aveva ammazzato nessuno. Una perizia balistica gli diede ragione: le armi trovate nel suo covo non avevano sparato.

Ebbi notizia della sua cattura il giorno prima della mia partenza per gli Stati Uniti dove, assieme ad Alfonso Giordano, Piero Grasso e Carmelo Conti, primo presidente della Corte d'appello di Palermo, mi recai, ospite del governo di Washington, per un istruttivo viaggio all'interno del mondo giudiziario americano.

Falcone era stato invitato, ma non venne. Mi confidò che si sarebbe sentito in grande imbarazzo a dover spiegare oltreoceano la sua mancata nomina a capo dell'ufficio istruzione per una questione di anzianità. Sarebbe stato impossibile da quelle parti capire come andavano certe cose in Italia. Meglio evitare. La cosa migliore era tentare di dissolvere l'indifendibile nel silenzio.

Il chiarimento, in effetti, venne richiesto. Carmelo Conti, uomo di lunga navigazione, schivò il colpo, ponendo a sua volta con un sorriso una domanda: «Lo Stato americano una cazzata non l'ha proprio mai fatta?». Il cenno di assenso che ricevette lo autorizzò a concludere: «Può capitare a tutti». I nostri interlocutori, diplomaticamente, passarono ad altro.

La calunnia dell'anonimo nei nostri confronti rimaneva comunque colossale. Scriveranno i giudici della Cassazione:

> Una grave ed oltraggiosa delegittimazione venne operata, proprio a ridosso dell'attentato in questione, attraverso le cosiddette lettere del Corvo ... La delegittimazione di Giovanni Falcone finiva sicuramente per giovare all'associazione mafiosa ... In proposito va richiamata la deposizione di Brusca ... il quale ha riferito che il Riina, dopo avergli confidato che l'attentato dell'Addaura era un fatto di Cosa Nostra ed in particolar modo di Antonino Madonia, aveva aggiunto: «Peccato che non è successo perché era il momento buono in quanto il dr. Giovanni Falcone era discusso, delegittimato». E ciò fornisce la prova che l'opera continua e penetrante di delegittimazione posta in essere nei confronti del dr. Falcone interessava vivamente Cosa Nostra affinché si venissero a creare le condizioni ideali per poter eliminare poi un ne-

mico ... che appariva ormai indebolito in quanto oggetto di una pesante manovra di destabilizzazione ed isolamento tendente a creare nei suoi confronti un clima di grave ostilità.

Non si tratta di un'opinione, per quanto autorevole, ma di una sentenza della Corte di cassazione ancorata a dati processuali!

Un nostro collega fu sospettato di essere il Corvo autore della lettera. La sua fama di anonimista aveva concentrato su di lui i sospetti. L'Alto commissario Sica carpì con uno stratagemma le sue impronte digitali, che risultarono uguali a quelle rilevate sul foglio anonimo. Fu condannato per calunnia in primo grado e assolto in appello. Oggi è, da anni, a capo di un ufficio giudiziario.

Convocato dal Csm, sparò a zero contro De Gennaro, Falcone e il sottoscritto, riferendo anche fatti rigorosamente privati: sul mio conto corrente presso il Banco di Sicilia gravava un'esposizione di circa cinquecento milioni di lire. La maggioranza dei componenti di quell'organo perse la testa. Ne venne fuori una sorta di maionese istituzionale impazzita.

La documentazione che mi affrettai a inoltrare al Csm dimostrava, in modo inequivocabile, che quel conto corrente era cointestato a me e mia moglie e, soprattutto, che la contabilità relativa alla utilizzazione che ne avevo fatto riportava un saldo attivo di ventotto milioni. Lo scoperto, perciò, non mi riguardava.

Non ebbi difficoltà a chiarire che le somme erano state utilizzate per la ristrutturazione di due immobili di proprietà di mia moglie, la quale aveva già chiesto alla banca il conteggio finale per l'azzeramento del conto. Avvenuto, poi, puntualmente e integralmente. L'unica colpa della quale ero disposto a rispondere era quella di avere sposato una donna piuttosto benestante.

Il capitolo che fu scritto in quei giorni sancì la caduta più umiliante non solo dell'istituzione, ma anche degli uomini che ne furono protagonisti. Il mio trasferimento da Palermo fu deliberato per «incompatibilità ambientale», malgrado l'esplicito riconoscimento che nessun rimprovero poteva essermi addebitato. Gli «ambienti» che toccavano la sensibilità della maggioranza del Csm non erano evidentemente gli stessi che, indignati, si erano mobilitati in mia difesa inondando il Palazzo dei Marescialli con un fiume di proteste, liquidate come «indebite interferenze». Anche questo fu un segnale.

Montò spontaneamente un moto di riprovazione generale anche dentro la magistratura. I colleghi della procura della Repubblica di Milano resero pubblica una lettera con la quale si dichiaravano «convinti che l'immagine di Ayala, agli occhi della gente, continui ad essere quella limpida di un pubblico ministero capace e coraggioso, che degnamente e con successo ha rappresentato la pretesa punitiva dello Stato contro la mafia ... Non sappiamo quali saranno le future scelte di Ayala ma con convinzione gli chiediamo a titolo individuale di prendere in considerazione la possibilità di un suo trasferimento alla procura della Repubblica di Milano ... Ayala si è guadagnato la stima unanime attraverso anni difficili di durissimo lavoro in cui ha contribuito a restituire prestigio e credibilità all'intera magistratura».

«Tiè... beccatevi questa!» fu il pensiero che rivolsi alla maggioranza degli autorevoli membri del Csm. Sarà poi il Quirinale a sistemare la faccenda.

La ragione per cui il mirino era stato puntato contro di me ha molto a che fare con quanto scriverà Antonino Caponnetto: «Con Ayala ho sempre avuto e conservo rapporti molto affettuosi. È uno dei pochissimi magistrati, forse l'unico della procura, sul cui conto non ho mai avuto riserve, con cui ho avuto sempre un rapporto chiaro e limpido. Lo stimo molto».

Quell'«unico della procura» coincideva notoriamente con l'opinione di Falcone. Andavo perciò eliminato. Uno meno uno uguale zero. L'isolamento veniva completato bisturi alla mano.

Ne avevo avuto già prova, ancor prima dell'apertura delle ostilità nei miei confronti. In una serata del settembre 1989 avevo ricevuto la visita di Falcone a Roma, in casa dei miei carissimi amici Pasquale e Gabriella Campo, che mi avevano accolto in un momento difficile e doloroso, determinato dalla recentissima separazione da mia moglie. Giovanni era latore di un preciso messaggio da chi al Palazzo dei Marescialli ci era vicino: «Hanno deciso di farti male. C'è un solo modo per evitarlo. Presenta al più presto una domanda di trasferimento da Palermo alla sede che più ti aggrada. Sarà accolta e tutto si chiuderà. Anzi, tecnicamente neanche si aprirà. Non t'incazzare e ricordati che ambasciator non porta pena».

I presenti erano rimasti sbigottiti. Io no. Avevo risposto a bruciapelo: «Signor ambasciatore, la ringrazio molto della sua mediazione. Le affido, quindi, la mia controfferta: andassero 'affanculo. Non ho avuto paura davanti a centinaia di mafiosi assassini e dovrei averla davanti a questi quattro pseudogiudici del mio privato... che non mi rappresentano un bel niente? Io sono inattaccabile, Giovanni, e tu lo sai. Non ho scheletri nell'armadio. Ho la coscienza a posto e nulla, dico nulla, da farmi rimproverare. Può capitare a tutti di sbagliare, di commettere una leggerezza. A me non è ancora capitato. La porcata la faranno, ne sono sicuro, ma si debbono giocare la faccia. La scorciatoia che propongono non la offrono a me. È a loro che serve per portare a casa il risultato, senza neanche pagare il biglietto. Riferisci che se lo possono scordare. Dopodiché tu devi scomparire dalla vicenda, con questi è meglio che tu sia prudente, molto prudente. Me la caverò da solo, non ti preoccupare. Tanto, ormai, passiamo più tempo a difenderci davanti al Csm che nei nostri uffici a lavorare».

Era rimasto per un attimo a pensare, in silenzio e con uno sguardo tristissimo. Sentiva che doveva darmi ragione, ma voleva invece darmi torto, per il mio bene s'intende. Aveva scelto, come al solito, l'ironia: «Mi autorizzi almeno a depurare il tuo messaggio dal vaffa?». «Autorizzazione concessa» avevo replicato.

Ci aveva provato, anche se sapeva molto bene che non avrei mai accettato quel «commodus discessus». Lo avevo accompagnato alla porta, cercando di sollevare il suo morale: «Me ne vado a letto. Mi sento come il principe di Condé che dormiva sereno la notte prima della battaglia». Aveva sorriso, ma solo per compiacermi, e se n'era andato dopo avermi abbracciato con tutta la sua forza, senza riuscire a dirmi altro che «ciao». Si sentiva in colpa. Dovevo pagare per la nostra amicizia, e per nient'altro.

La squallida vicenda che mi aveva visto incolpevole protagonista aveva confermato definitivamente una vecchia convinzione che avevo, tra il serio e il faceto, illustrato anche a Paolo e Giovanni: «La magistratura italiana dovrebbe somigliare alla grappa, di cui si beve solo la parte buona, il corpo. La testa e la coda andrebbero tagliate e gettate via. La testa è il Csm e i meccanismi clientelari dell'Anm. La coda, gli ultimi per prestigio: i pochi ma dannosissimi magistrati ossessionati dal protagonismo. Rimarrebbe, così, solo la parte sana, il corpo appunto, nel quale mi riconosco, sia pure con qualche fatica».

I miei interlocutori, divertiti, avevano esclamato: «La tua una dichiarazione d'amore è! La grappa ti piace moltissimo e la magistratura... pure. Il paragone ti ha tradito. La ami, caro Ayala, questa è la verità. E non stiamo parlando della grappa». «È vero. Ma la vorrei lo stesso senza testa e senza coda.» Non ho cambiato opinione. L'ho rafforzata, anzi, sera dopo sera, quando mi concedo il bicchierino di fine giornata.

Poco tempo dopo, Falcone cedette alle pressioni di amici fidati, Mario Almerighi in testa, e accettò di candidarsi per l'elezione a consigliere superiore della magistratura.

Non ce la fece. Perché? Lascio la risposta a Nino Caponnetto: «Il Csm, a Roma, agisce ed opera in una logica del tutto particolare, secondo me aberrante. Una logica di schieramenti in cui gli interessi delle correnti prevalgono sugli interessi generali. Dove i rappresentanti laici sono portatori degli interessi dei rispettivi partiti, eletti come tali dal Parlamento. Tutto questo costituisce certamente una grossa palla al piede del Csm. A ciò si aggiunga l'incapacità di capire l'importanza di certe decisioni». Giovanni con tutto questo non c'entrava nulla. La mancata elezione era perciò, a ben vedere, scontata. E, infatti, inesorabilmente arrivò.

Caponnetto, poi, a proposito della scelta a favore di Meli, ha anche ricordato che alcuni consiglieri espressero, a cose fatte, il loro rimorso «per le conseguenze che quella decisione ebbe sulla vita giudiziaria italiana». È vero, qualcuno di loro ne parlò con me, anche a proposito della vicenda che mi riguardò direttamente. Uno dei consiglieri che votò a favore del mio trasferimento, per esempio, pubblicò alcuni anni dopo un originale libro sulla giustizia, sotto forma di dialogo con il figlio. Volle a tutti i costi che scrivessi io la prefazione. Lo feci volentieri. Aveva sbagliato ed esigeva a tutti costi testimoniarmi il suo profondo rammarico per una decisione che, mi assicurò, «non avrei mai dovuto prendere».

Quelli che hanno ammesso di aver preso una vera e propria cantonata, ma in buona fede, penso siano stati sinceri. Ciò non toglie che furono lo stesso strumenti di un contorto disegno evidentemente più grande di loro.

L'entrata in vigore del nuovo codice di procedura penale, nell'ottobre 1989, sancì la definitiva scomparsa dell'ufficio istruzione. Falcone fu nominato «aggiunto» del nuovo procuratore della Repubblica, l'amico più intimo dell'amico più intimo dell'onorevole Lima. Una mera casualità, naturalmente, che riempirà però di appunti il computer di Giovanni, poi cancellati, magari nella stessa serata del 23 maggio 1992. Mancarono all'appello, però, le poche ma assai eloquenti annotazioni che erano finite in precedenza nelle mani di una giornalista del «Sole24Ore», che le divulgò. Il diario di un «accerchiamento» e, cioè, del deliberato e quasi maniacale svuotamento del suo ruolo. Poteva andare, da solo, soltanto a fare la pipì, se no era «marcato a vista». Gli risultò impossibile, in quelle condizioni, lavorare a modo suo. E ne soffrì molto. Fu questa l'unica ragione per cui accetterà l'incarico al ministero della Giustizia.

Falcone aveva letto molte di quelle note personali a me, a Paolo Borsellino e a Leonardo Guarnotta, che ne daranno conferma in più occasioni. Nel computer, però, non se ne trovò traccia. L'«agenzia funebre» che si occupa dei documenti aveva ancora una volta fatto il suo dovere.

Ciò non impedì a otto sostituti della Direzione distrettuale antimafia di chiedere, senza mezzi termini e con pesantissime accuse, dopo la morte di Giovanni e Paolo, l'allontanamento del procuratore capo. Il quale, mangiata la foglia, si affrettò a presentare domanda di trasferimento alla Corte di cassazione. Alla rivolta rispondeva con la fuga. Il dibattito svoltosi al Csm non può rimanere riservato agli addetti ai lavori, a riprova che non esiste tragedia che riesca a sopraffare il ridicolo. E il patetico. La proposta di accoglimento della domanda di trasferimento, formulata dalla commissione competente e sostenuta dal relatore professor Marconi, recita testualmente «che la richiesta del dott. Giammanco viene a seguito di un'oggettiva situazione di grave turbamento dell'Ufficio nel quale egli opera, conseguente all'uccisione dei magistrati Francesca Morvillo, Giovanni Falcone e Paolo Borsellino e delle rispettive scorte ... che ... il dott. Giammanco appare magistrato dotato di alti meriti, di indiscussa imparzialità ed indipendenza, di ragguardevoli attitudini professionali, di anzianità di servizio, tali da renderlo meritevole». Evviva, evviva!

Le voci contrarie non mancarono. Una, in particolare, denunciò come «il Consiglio abbia mancato nuovamente l'occasione per comportarsi in modo adeguato ad una vicenda particolarmente delicata ... Antonino Caponnetto direbbe oggi, se fosse presente, che il Csm ha perso un'altra occasione per comportarsi con coraggio e correttezza istituzionale ... Non ha dimostrato trasparenza ed efficienza, né capacità dirigenziali o di valorizzazione delle professionalità dei magistrati del proprio ufficio, chi ha ostacolato in modo certo non lineare magistrati come Falcone e Borsellino per ragioni che non dimostrano alto senso istituzionale. ... La motivazione della proposta di trasferimento parla d'indipendenza ed imparzialità indiscussa. Una frase simile non è stata mai inserita in una proposta di trasferimento e contraddice la realtà perché proprio l'indipendenza e l'imparzialità di Giammanco sono discusse per l'ostentato rapporto di amicizia con l'onorevole D'Acquisto, considerato uomo di Lima» (Santoro).

Un'altra, sia pure con un eccesso di cautela, rilevò come «sulle questioni di Palermo il Consiglio è sempre inciampato e continua ad inciampare» (Criscuolo).

Non mi pare secondario ricordare che «l'elevato dibattito» si svolgeva in data 10 agosto 1992. Ventun giorni dopo l'assassinio di Borsellino e settantanove dopo quello di Falcone. Le date non sono mute.

Trovava ancora una volta conferma la tesi di Giuliano Vassalli che, al tempo in cui fu ministro della Giustizia, varò, dall'alto della sua statura di giurista e di uomo, quella che venne ironicamente denominata la «legge Vassalli».

Una legge non scritta, secondo la quale «ogni Csm riesce ad essere peggiore del precedente». Non è più in vigore ormai. È vero che al peggio non c'è fine, ma dopo quelli degli ultimi anni Ottanta e dei primi anni Novanta, per i successivi riuscire a essere peggiori si è rivelato impossibile.

Tornando al 1990, per quanto mi riguardava, dovetti constatare che il Csm, che aveva decretato il mio trasferimento nel novembre 1989 per «incompatibilità ambientale», non osava dar seguito alla pratica.

Nel frattempo, sotto la sapiente guida del procuratore poi trasferito in Cassazione, la mia scrivania fu inondata da processi per «furti Enel». Incredibile, ma vero. Al «vincitore del maxiprocesso» non veniva assegnato altro che procedimenti penali a carico dei poveracci che si allacciavano abusivamente alle linee elettriche dell'Enel per non pagare la bolletta, consumando così il delitto di furto aggravato. Erano centinaia di fascicoli che assorbivano le mie giornate di lavoro. Si realizzava quello che il famoso procuratore generale aveva, senza successo, suggerito a Chinnici di fare nei riguardi di Falcone: «Riempigli la scrivania di processetti, così non avrà il tempo di fare altro». La mia fedele e impagabile segretaria, la dottoressa Franca Vitello, non credeva ai suoi occhi. Gli avvocati erano stupefatti. Io mi limitai a prenderne atto. Non reagii in alcun modo e non me ne sono mai pentito.

Molti si chiedono perché non sono stato ammazzato anch'io. La domanda, anzi, mi è stata direttamente rivolta in più occasioni. La mia risposta è stata sempre la stessa, semplice e chiara: «Grazie all'Enel sono vivo». Una provocazione? Un po' sì, lo confesso.

La «combinazione» di cui parlò il generale Dalla Chiesa arrivò appena a lambirmi. Ero stato isolato dalle istituzioni, non c'è dubbio. Se fossi stato ritenuto ancora pericoloso, le conseguenze della fatale «combinazione» sarebbero state difficilmente evitabili. Ma non lo ero più. La mafia non uccide uno che si occupa di furti di corrente elettrica.

Ho saputo dopo che in un primo momento non ci credevano neanche i mafiosi. Una dettagliata e riservata relazione della polizia e le dichiarazioni di alcuni pentiti riferirono i particolari relativi alla preparazione di un attentato ai miei danni proprio in quel periodo. Il tempo di preparare, però, fu anticipato dal tempo di capire che da me non avevano più nulla da temere. E fui graziato.

Ciò non toglie che quel lavoro mi infliggeva quotidianamente una noia mortale. Ero abituato a ben altro, e da anni. Decisi allora di prendermela con il Csm, rinnovato nel frattempo nella sua composizione, e chiesi espressamente di essere sentito al più presto per scegliere la mia nuova sede.

Furono, così, costretti a convocarmi. Li trovai imbarazzati, impacciati. Li aiutai chiarendo che trovavo del tutto immotivata e meno che mai giustificabile la loro inerzia. Paventai, per di più, seri profili di illegalità che, per doveroso rispetto istituzionale, desideravo concorrere a rimuovere.

Indicai, quindi, le previste tre sedi di mia preferenza ripetendo per tre volte: Caltanissetta. Li lasciai di stucco, salutai e me ne andai.

XIII
E le perdette tutte

Qualche mese dopo, ai primi del 1991, ricevetti di mattina presto la telefonata che proprio non mi aspettavo. Un'asettica voce maschile, dopo avere avuto conferma che ero il giudice Ayala, mi comunicò: «Qui il Quirinale, le passo il presidente». Confesso che pensai a uno scherzo. E se invece non lo era?

«Buongiorno Ayala, sono Francesco Cossiga. Spero di non averla svegliata. Senta, se le dovesse capitare di venire a Roma nei prossimi giorni, mi farebbe molto piacere incontrarla.»

«Non c'è dubbio, proprio lui è!» pensai, ma non perdetti la mia prontezza: «Presidente, grazie. Non stavo dormendo, aspettavo la sua telefonata» scherzai e aggiunsi: «Non ho in programma di venire a Roma, per la verità. Ma si metta nei miei panni: il presidente della Repubblica mi onora di un'udienza e io dovrei aspettare? Non ci penso nemmeno. Mi dica solo il giorno e l'ora e sarò felice di venire a renderle omaggio». La mattina successiva, concordammo.

Fu un incontro indimenticabile. Lo trovai davanti all'ascensore, mi prese a braccetto e mi condusse nel suo studio alla «vetrata». «Ho voluto vederla perché lei è creditore dello Stato. Ha dovuto sopportare un'ingiustizia che proprio non meritava e io, che sono il capo dello Stato e il presidente del Csm, sento il dovere di risarcirla. Lei non può andare a Caltanissetta, anche se è la sua città natale. Lei deve venire a lavorare a Roma. Vediamo di trovare una collocazione adeguata.»

Non credevo alle mie orecchie, anche perché le sue valutazioni sull'operato del Csm furono tali che non mi sento autorizzato a riportarle. Ma le ricordo benissimo.

Continuò senza farmi aprire bocca: «So che lei ha tre bei figli. Posso immaginare quanto abbiano sofferto. Le sarei grato se li portasse da me. Desidero conoscerli e parlare con loro». Chiacchierammo a lungo. Credo che i colloqui con il presidente della Repubblica debbano doverosamente rimanere riservati e, perciò, tali li lascio.

Tre giorni dopo parlò ai miei figli. Quello che disse ci ripagò in un attimo delle tante amarezze sopportate. Non lo scorderemo mai. Volle accompagnarci di persona a visitare il palazzo del Quirinale e trascorse con noi l'intera mattinata.

Lo andai a trovare altre volte. Quando prendemmo un po' più di confidenza, mi confessò che era stato Giovanni Falcone, con cui s'incontrava di frequente, a ripetergli in più occasioni: «Presidente, mi raccomando, non si dimentichi di Ayala!». Non lo fece e sistemò tutti e due a Roma. Giovanni alla Direzione generale degli affari penali, chiamato dal ministro Martelli, e io alla Commissione parlamentare antimafia, come consulente del presidente, quel grand'uomo che si chiamava Gerardo Chiaromonte. Un politico di grande cultura e profonda umanità.

Debbo molto a Francesco Cossiga. Guai a chi me lo tocca. Lo ripago con tutta la gratitudine di cui sono capace. Mi pare il minimo. Fu il primo, oltretutto, a darmi un suggerimento che avrà un suo seguito: «Ayala, lei deve fare politica. Gli italiani le vogliono bene e hanno tanto bisogno di riferimenti credibili. Chi meglio di lei? Ci pensi!». Quando ci ritrovammo in Parlamento, mi abbracciò: «Che ti avevo detto? Ora è questo il tuo posto». Non aveva tutti i torti, tanto è vero che ci sono rimasto per quattro legislature.

Falcone prese possesso del nuovo incarico romano all'inizio del marzo 1991. Trovare pace continuava, però, a risultargli impossibile. Il 15 ottobre si dovette, ancora una volta, presentare al Palazzo dei Marescialli, dove subì un vero e proprio interrogatorio per difendersi dalle accuse lanciate nei suoi confronti da Leoluca Orlando e due suoi seguaci, secondo i quali avrebbe «nascosto le prove nel cassetto» a proposito di indagini che avevano a che fare con la politica. Erano i militanti del «sospetto come anticamera della verità».

Un'assurdità alla quale il Csm, ammesso che lo volesse, non poté non dar seguito, avendo ricevuto un esposto formale. Giovanni, imperturbabile, rispose con fermezza, concludendo: «Non si può investire della cultura del sospetto tutto e tutti. La cultura del sospetto non è l'anticamera della verità. La cultura del sospetto è l'anticamera del komeinismo». Avrei aggiunto: «La cultura del sospetto è la negazione del ruolo del giudice». E Falcone ne era l'espressione più pura e, quindi, la più lontana. Quando mi telefonò per raccontarmi com'era andata, ricordammo i «professionisti dell'antimafia» di Sciascia. Aveva proprio ragione! Fine della conversazione.

Negli ambienti del «sospetto come anticamera della verità» c'era un grande rimpianto per un'occasione perduta. Quella legata allo pseudopentito Giuseppe Pellegriti, un criminale ma, al tempo stesso, un personaggio da quattro soldi che aveva, a un certo punto, deciso di cimentarsi in un'avventura troppo ardita. Interrogato da un pubblico ministero di Bologna, riferì anche fatti che riguardavano delitti di nostra competenza.

In una caldissima mattinata dell'agosto 1989 ricevetti una telefonata da Falcone: «Giuseppe, mi è stato trasmesso dalla procura di Bologna un verbale di interrogatorio di un certo Pellegriti. Una specie di pentito che dice di essere a conoscenza di episodi gravissimi che riguardano nostre indagini. Lo vado a interrogare dopodomani. Ma non voglio essere solo, c'è qualcosa che non mi convince. Ci andiamo insieme?». Mi permisi di obiettare: «Giovanni, io veramente sarei in ferie. Ma se mi dici che ritieni indispensabile che ci sia anch'io, che vuoi che ti dica? Andiamo!».

Partimmo in aereo per Milano. Un elicottero ci prelevò all'aeroporto e ci portò rapidamente al carcere di Alessandria, dove Pellegriti stava scontando una lunga pena. Lo interrogammo, seguendo un collaudato meccanismo di divisione dei compiti, e lo smascherammo dopo non più di una ventina di minuti. La coppia era molto affiatata. Lo avevano preparato:

era chiaramente in mano a qualcuno che lo manovrava, ma era roba da dilettanti. Confessò anche di avere acquistato consistenti quantità di eroina e cocaina da Gerlando Alberti. Lo invitai a precisare l'epoca. «Nel 1985 o 1986» rispose. Alberti era ininterrottamente detenuto dal 1980. Come faceva a vendere «ingenti quantità di eroina e cocaina» dal carcere? Il mentecatto poi, tra le tante altre menzogne, rivelò addirittura di conoscere l'identità del mandante dell'omicidio Dalla Chiesa: l'onorevole Salvo Lima. Ammesso che fosse vero, non era immaginabile che ne potesse essere stata informata la manovalanza. L'ipotesi non stava né in cielo né in terra. Chissà chi glielo aveva suggerito. Il sospetto per la verità l'avevamo, ma rimase tale e tutto finì lì. Noi certe anticamere non le frequentavamo.

Al rientro facemmo tappa a Roma, dove Giovanni si fermò perché l'indomani mattina doveva partire per gli Stati Uniti. Dopo pochi giorni, acquisita la documentazione che provava l'infondatezza delle rivelazioni, contestammo a Pellegriti il delitto di calunnia. Quell'iniziativa, del tutto corretta e anzi doverosa, sollevò un polverone di polemiche. Falcone fu accusato, tra l'altro, di aver informato telefonicamente il presidente del Consiglio Andreotti, proprio la sera della sua sosta romana, di quanto attribuito da Pellegriti all'onorevole Lima. Giovanni negherà sempre di aver fatto quella telefonata, anche a me, in un colloquio privatissimo. Non ho il minimo dubbio: non la fece. E se anche l'avesse fatta?

La nomina di Falcone a direttore generale degli affari penali diede la stura a non pochi contrasti. Gli fu addirittura addebitato di essersi «venduto ai socialisti». Il ministro della Giustizia era, infatti, un dirigente del Psi. Gli eventi, come sempre, dimostrarono che Giovanni si era già venduto da tempo: non ai socialisti, bensì al suo enorme senso del dovere, che ne faceva un ineguagliabile servitore delle istituzioni. Non era tagliato per fare il burocrate, era un professionista.

Concepì subito un'importante novità: la Procura nazionale antimafia, un organismo destinato a dare attuazione sul piano ordinamentale allo sperimentato metodo della centralizzazione delle indagini. La nascita fu molto travagliata. Si levarono diverse voci critiche. La magistratura, in particolare, era contrarissima. Alcuni magistrati, meritatamente noti per il loro impegno, sottoscrissero e resero pubblico un documento che la bocciava senza mezzi termini. La prima firma era quella di Paolo Borsellino.

Un giorno mi telefonò, chiedendomi di aggiungere anche la mia: «La Superprocura è fatta apposta per Giovanni e va bene. Ma se ci dovesse andare chiunque altro, allora non va bene affatto. Quindi è molto meglio che non se ne faccia niente, che ne pensi?» mi chiese. Mi trovai in grande imbarazzo, perché non mi sovvennero argomenti contrari ma, al tempo stesso, pensavo al gran dispiacere che avrei dato a Giovanni. Era più che sufficiente quello che gli avrebbe procurato la presa di posizione di Paolo. M'inventai una scusa: «Non mi sembra opportuno firmare quel documento. Io sono fuori ruolo, faccio il consulente di un organismo parlamentare. È meglio di no, credimi». Paolo capì perfettamente la ragione per cui mi defilavo, ma fece finta di niente: «Ah già, non ci avevo pensato. Hai ragione, è meglio che non firmi. Giovanni avrà, così, un'amarezza in meno». Mi conosceva bene, non c'è che dire.

Il governo decise di tagliare la testa al toro e varò la Superprocura addirittura con un decreto legge. La nomina di Giovanni a guidarla avrebbe dovuto essere scontata, se la scelta fosse stata affidata a criteri legati al merito e alla competenza. Nessuno, in quella materia, poteva reggere il confronto con lui. Le cose, invece, andarono in altro modo. La cosiddetta «toga rossa» lo era a tal punto che i comunisti, da poco diventati Pds, lo osteggiarono apertamente, puntando su un candidato alternativo. Falcone ci restò male anche perché, in occasione della vicenda Meli, i tre membri laici del Csm espressi dall'allora Pci, avevano votato compatti per lui. Rimasi sconcertato anch'io.

Luciano Violante ha definito «gli anni della disattenzione» quelli che precedettero l'assassinio di Giovanni Falcone e Paolo Borsellino e che seguirono agli omicidi La Torre e Dalla Chiesa. Una «disattenzione» lunga dieci anni, dal 1982 al 1992? Non è possibile. E, infatti, non è vero. Luciano fu tutt'altro che disattento. A me non la racconta. Falcone, allora, gli stava più che bene, tanto che lo sostenne più volte, quando dovette subire gli attacchi sferratigli dal potere rispetto al quale il Pci stava all'opposizione.

La parola «disattenzione» ha un significato univoco. Ne cerchi un'altra per dar conto del cinico trattamento riservato da lui e dal suo partito a Giovanni in quelle che sarebbero state le sue ultime settimane di vita. Scelga la più adatta, ma «disattenzione» la elimini. Non rende giustizia a nessuno. Violante compreso.

Mario Pirani ha paragonato Falcone ad Aureliano Buendia, l'eroe di *Cent'anni di solitudine*, che «dette trentadue battaglie, e le perdette tutte». Nessuno le ha vinte, però. Le abbiamo perse tutti insieme.

Durante i mesi che trascorremmo a Roma, a partire dal mio arrivo nel settembre 1991, Giovanni e io riprendemmo l'abitudine di vederci spesso. Avevamo superato un periodo di stupido raffreddamento dei nostri rapporti a causa di un malinteso, che gli smisurati orgogli di entrambi riuscirono a ingigantire oltre il consentito.

Ha raccontato Marida Lombardo Pijola, nota firma del «Messaggero» e nostra amica, che una sera, durante un volo di rientro a Roma da Bruxelles, il ministro Martelli invitò a cena Giovanni e i giornalisti al seguito. Falcone declinò l'invito, aveva un altro impegno.

L'indomani, incuriosita, Marida gli chiese chi era la persona che gli aveva fatto saltare la cena offerta da Martelli. «Giuseppe Ayala» le confidò Giovanni. «Ma non eravate in freddo?» gli chiese. «Sì, ma l'ho ritrovato e non me lo perdo più» fu la risposta.

Mi telefonava spesso. A fine gennaio 1992 appresi proprio da lui che la Cassazione aveva confermato le condanne del maxiprocesso. «Giuseppe, hai vinto» fu il suo commento. «Abbiamo vinto» lo corressi. «E io che c'entro? Tu hai sostenuto l'accusa. A te hanno dato ragione» aggiunse. Non scherzava, l'uomo era fatto così.

Il 16 marzo, mentre ero in piena campagna elettorale (capolista del Pri per le elezioni alla Camera dei deputati), mi chiamò: «Poco fa hanno ucciso Salvo Lima. Paolo propone di vederci domani sera da me. Ce la fai?». «Ci sarò» confermai.

Li trovai di pessimo umore. Paolo fu laconico: «Il ragionamento di Copacabana non regge più. Il maxiprocesso che ci garantiva è finito. Benissimo per noi, malissimo per loro. Lima ha pagato perché non ha mantenuto l'impegno. Non è riuscito ad aggiustarlo. Ora sono proprio "uccelli senza zucchero". I più amari mai visti». Né io né Falcone spiccicammo una parola. Passeggiavamo con il bicchiere di Laphroaig in mano, cercando una via d'uscita che non vedevamo, perché non c'era. Borsellino rincarò la dose, rivolto a Giovanni: «Tu sei a Roma, Giuseppe sarà sicuramente eletto e ti raggiungerà. Resto solo io a Palermo. Non soffro di solitudine, ma non mi piace lo stesso». La conversazione proseguì incerta. Riuscimmo lo stesso a parlare d'altro. Li incuriosiva molto l'esperienza politica che stavo vivendo. Li inondai di particolari, cercando un approdo ironico. Fu un fallimento, non era serata. L'ultima cosa la disse Giovanni: «Stavolta previsioni serie non se ne possono fare. Può succedere la qualunque!». Non significava niente, ma spiegava tutto.

Non ci perdemmo di vista. Vollero addirittura partecipare a una manifestazione elettorale in mio favore. La foto simbolo che li ritrae sorridenti l'uno accanto all'altro fu scattata proprio in quella occasione.

Conquistai il mio seggio alla Camera e tornai a Roma. Falcone mi accolse con entusiasmo. Mi aveva convinto proprio lui ad accettare la candidatura, ma aveva poi temuto per l'esito. Si sentiva sollevato. Continuammo a frequentarci assiduamente.

Il 14 maggio cenammo assieme alla Carbonara di Campo de' Fiori. Una serata vivace. L'argomento principale fu Tangentopoli, da poco venuta alla ribalta. C'erano anche Francesca e un comune amico, l'avvocato Francesco Crescimanno.

Lo rividi a Palermo nella tarda serata del 23 maggio in una

«camera» fredda e molto spoglia. Eravamo soli, ma non parlammo. Lui dormiva. Un sonno senza risveglio.

Ai primi di luglio mi telefonò da Firenze Nino Caponnetto, pregandomi di andare a trovare Borsellino, che aveva sentito e gli era sembrato molto giù di corda.

Volai a Palermo appena possibile e lo raggiunsi in ufficio. Parlammo a lungo. A un certo punto mi disse una frase che feci finta di non capire: «Giuseppe, non posso lavorare meno. Mi resta poco tempo».

Rividi anche lui, nel pomeriggio del 19 luglio davanti alla casa di sua madre. Ma non lo riconobbi. Ne era rimasto ben poco.

Ha detto Agnese Borsellino: «Paolo cominciò a morire quando morì Giovanni, come due canarini che difficilmente sopravvivono a lungo l'uno alla morte dell'altro».

Pare che un giorno ci ritroveremo ancora. Senza fretta, però. Loro ne hanno avuta troppa. Senza volerlo.

E così sia.

Indice dei nomi